JN120498

富士山を壊すのは誰？

「富士山登山鉄道構想」が観光立国日本をダメにする

元都留文科大学教授 渡辺豊博
法政大学名誉教授 村串仁三郎
編著

泉町書房

はじめに――「富士山登山鉄道計画」は無責任な行政による富士山への「いじめ」だ

渡辺豊博

私は、静岡県庁に在職していた1993年に、富士山の世界自然遺産登録の運動を推進する役割を担ってから現在まで、富士山の自然保護や環境改善など、多くの市民活動に関わるとともに、適切な観光振興のあり方への助言などにも関わってきました。

中学時代に駿河湾のゼロ合目から頂上まで5リットルの海水を担いで登ったときから、富士山の大きさと限りない魅力の虜になり、四季折々の豊かな自然環境や現在も地域住民の心の中に残る「富士講」、富士山崇拝への純粋さやおもてなしの心に感動し、富士山大好き人間として、富士山をこよなく愛してきました。

当時の自然遺産登録運動に関しては、国が正式に登録の立候補をする前にあえなく断念するという、口惜しく残念な結果に終わってしまいました。しかし、その運動の経験を生かして、なんとか世界文化遺産登録まで持っていったのが、2013年になります。

富士山の世界文化遺産への登録はギリギリ合格のレベルであり、世界文化遺産の保護・保全のための専門的調査機関であるイコモス（ICOMOS：国際記念物遺跡会議）からいくつかの解決すべき課題を突き付けられました。この課題の詳細につきましては、第3章において詳しく述べますが、恥ずかしいことに10年経過した今になってもほとんど解決していません。

それどころか、世界文化遺産登録前の２００７年頃から、空前の「富士山ブーム」が起こり、来訪者・登山者の急増やインバウンドによるマナーの悪化などの要因により、登山客が捨てるゴミやし尿垂れ流しによる汚染など、オーバーユース（過剰利用）による、富士山の環境被害・環境悪化が一気に進みました。

富士山は古来、信仰の山として崇められ、その美しさから数々の芸術作品のモチーフになってきた日本人の「心の山」です。それが２０１３年に世界文化遺産に登録されたことによって「日本の山」が「世界の山」にランクアップされたわけです。「開発の抑止」により、その財産を長く守っていくことを義務とすることが世界遺産登録の目的ですが、開発に歯止めがかからず、課題を放置し、開発を進行させてきたのが登録11年目の現状です。

世界文化遺産への登録が、かえって富士山にとっては、悪影響を与えていると言わざるを得ない悲しい状況です。私から見ると、人間によるこの恥ずかしい扱いは、富士山への「いじめ」であり、その究極の悪行が、この本で問題にする「富士山登山鉄道計画」です。

なぜ、日本人は富士山をしっかりと守ることもできずに、イコモスから突き付けられた課題を解決できずに来てしまったのでしょうか。静岡県庁の仕事をしながら数々のＮＰＯ法人を立ち上げ、富士山の自然保護活動を進める中で、私が常に感じてきたことは、日本の強烈な縦割りの仕組みによる弊害が解決を拒んでいる原因だということです。その弊害が、今も、ひどく富士山をいじめ続けていると思います。

富士山に関わる管理者は、バラバラで複雑です。環境保護・保全・管理・規制に関しては環境省です。富士山は「富士箱根伊豆国立公園」であり、自然公園法の下に開発の規制がなされています。富士山の一部は、特別保護地区であり、厳重に環境や景観の維持を図らなければならない地区に指定されています。

また、文化庁の特別名勝地域にも指定されていますので、そこは文部科学省の管轄です。静岡県側は1万2000ヘクタールのほぼすべてが国有林ですので林野庁の所管で農林水産省です。山梨側の恩賜林は県有林ですから山梨県です。山梨県側と静岡県側の登山道は県道であり両県の道路管理者が管理しています。地下水関係は農林水産省です。自衛隊の演習場は防衛省が管理しています。当然、民間企業や市町村が持っている財産区、個人が持っている土地もありますし、八合目より上は、富士山浅間大社の境内であり、宗教法人の土地、民有地になっています。

複雑多岐な行政による縦割り構造は、日本のどこでも見られる仕組みですが、統一的・包括的な一元管理による保全管理がなされてこなかった富士山は、権限を有した責任者がいない、無責任体制・縦割りの国家体制の「犠牲」になっているといえます。

そもそも、富士山が過去、自然遺産の登録を断念したのは、日本の縦割り体制のもとで一元管理ができていないことが、大きな原因だったと私は考えています。

実は、世界自然遺産登録運動の最中、次のような出来事がありました。世界自然遺産登録の審査を担うユネスコ関係者を招き、富士山周辺を案内している時に、私は彼らにこのように言われました。「富士山は完全にオーバーユース（過剰利用）の厳しい状態になっているが、そのことによる自然環境や景観破壊の問題を正す責任者は誰ですか？」と。

要するに、彼らは、富士山を守る責任者は誰だと言うのです。私は答えられませんでした。富士山にはそれぞれの管轄において管理者はいますが、全体を統括する責任者がいないからです。

海外で世界遺産を管理している機関は一元管理の体制になっており、アメリカでは環境保護庁、ニューランドでは環境保全省が担っており、責任者として厳しい管理を法律に基づいて行っています。

オーバーユースの問題に関して、突然、２０２４年の登山シーズンから、山梨県側は入山料を２０００円徴収して入山規制をすると発表。さらに、夜間（16時〜27時）と登山者数が１日４０００人を超えた場合、ゲートを閉めて登山を制限することになりました。

一方、静岡県側は緩やかな規制で、入山料はなくウェブ登録で山小屋の予約がない場合、16時以降の登山は自粛要請することにしています。このように入山規制の問題ひとつとっても対応は、両県においてバラバラになっており、実効性は低いと思います。

こんな統一性の無いやり方では、お金を払いたくない人は静岡県側から登ればいいし、弾丸登山をしたい人は、16時前に静岡県側から登ろうとするでしょう。登山者抑止の対策が混乱を助長するだけで、登山者規制の効果は期待できず、問題解決にはなりません。

日本では問題解決のためにプラスになる活動をしようとしても、富士山において一元管理が構築されておらず、この縦割り体制が障害になります。私が事務局長を務めたＮＰＯ法人・富士山クラブ（現在は退任）が、富士山のし尿垂れ流し問題を解決するために、バイオトイレの設置事業を進めたときのことです。関係する役所の各支所、本庁にそれぞれ書類を作成して提出することを求められ、指示通り対応しました。何と提出書類を積み上げたら、1メートル50センチの高さになってしまったほどの、膨大な書類の山でした。

かつて静岡県庁において事務書類作成が仕事であった私ですら、たらい回しにされ、こんな無駄なこと、いい加減にしてくれという思いでした。たぶん、一般のＮＰＯには、ハードルが高すぎて対応に窮すると思います。国や自治体ができないことを、ＮＰＯが懸命に努力して解決しようとしているのに、足を引っ張るような対応をするとはひどい話です。

本来は規制官庁である環境省ですら、管理者がバラバラの体制を放置していますが、一元管理をしないことにより、結果的に、何かあっても誰も責任をとろうとしない、他人事にしてしまうことが、当たり前、日本の常識・慣例になってしまっています。

一元管理ができない隙を突いて、富士山を好き勝手に利用しようとするのが「富士山登山鉄道計画」だと思います。富士山を持続的に守っていくための一元管理が国によって整っていれば、こんな無謀な計画を考えることはできないはずです。

この本では、富士山が壊されていく実態と登山鉄道計画の未熟性を解き明かします。また、世界中の先進的な観光地や世界遺産地区を調査研究してきた私だから提案できる「富士山再生計画」

をお示しします。

本の共編者である村串仁三郎法政大学名誉教授には、国立公園の研究者として、自然保護の観点から富士山登山鉄道の現計画の問題点を指摘いただきました。ＮＰＯ法人尾瀬自然保護ネットワークの大山昌克氏は、長年、尾瀬の過剰開発に反対してきた経験から、今回の富士山登山鉄道の背景にある国家プロジェクト「国立公園満喫プロジェクト」について解説しています。

富士山は、山梨県の山でも静岡県の山でもありません。日本と世界の共有財産として、未来永劫、しっかりと守っていかなくてはならない、大切な山なのです。そのためには、山積みになっている沢山の課題を解決するために、今の縦割り体制の行政システムを壊して、ＮＰＯ・市民・行政・企業が連携・協働していく、新たな環境保全の仕組みを創る必要があります。

富士山登山鉄道計画を強引に進めようとする長崎幸太郎山梨県知事は、県民・国民に対して、今回の計画を丁寧に時間をかけて説明することを避けています。合意形成に努力することもなく、強引に本事業を進めようとするやり方は、日本の宝・世界の宝である富士山を傷つける、恥ずべき行為といわざるを得ません。

富士山において、今、発生している、複雑多岐な環境問題を抜本的に解決する道筋が見つけられれば、縦割り体制の硬直化により停滞している日本を大きく変革できるきっかけにもなると確信しています。

ニュージーランドのトンガリロ国立公園。文化遺産と自然遺産の両方の価値が評価されて「世界複合遺産」に登録。ホテルなども自然と景観の保護が優先されて建築されている

第1章

世界の観光の潮流から遅れる富士山の観光、そして日本の観光

世界の観光の潮流を学ばない日本の専門家たち

渡辺豊博

「分散化」と「不便さ」が世界の観光のキーワード

山梨県による富士山登山鉄道計画の具体的な課題を指摘する前に、この章では、富士山に係る別の問題として観光に焦点を当てたいと思います。世界の観光の潮流と比較して、日本が今、目指している観光のあり方には、大きな隔たりがあります。そのあり方が遅れていることを説明するとともに、登山鉄道計画も世界的な観光のあり方と比較すると不必要であることを説明します。

山梨県では、富士山登山鉄道を計画することに合わせて、鉄道の終点になる富士吉田五合目での大規模開発を計画していますが（２０２４年3月12日専門家検討会第3回会合／産経新聞同年3月12日配信記事より）、この大規模開発自体が、鉄道事業とかけ離れた異質の別事業だと思います。

私は、五合目のこの開発行為に一方的に反対しているわけではなく、山梨県知事や富士山登山鉄道検討委員会の専門家などに対して、土地の大きな改変を伴わない対策を考えていただきたいだけです。

例えば、世界の観光の流れは、人と自然との共生・原生への回帰が主流です。土地や自然の大きな改変・開発は禁止です。人を呼びたいから開発する、自然を壊す、こんな開発優先・商業主義的なやり方は、世界的な観光のあり方と比較すると、時代遅れで、知恵のない、短絡的で陳腐な計画といわざるを得ません。

私は、富士山の世界遺産登録の運動やさまざまなＮＰＯの事務局長・専務理事を担ってきた中で、イギリスやニュージーランド、アメリカなど40カ所もの世界遺産地区を調査してきました。

そこで気がついた世界的な観光のあり方として求められているのは「分散化」と「不便さ」だと確信しました。今の富士山観光は、五合目に来訪者を誘導する「一点集中型観光」ですし、登山鉄道を造ることにより、さらに、来訪者を集めようとする「一点収奪型観光」といえます。

世界文化遺産で、世界的に有名な観光地であるイギリスの湖水地方では、富士山と抜本的に違う観光振興を目指しています。湖水地方はイギリスの北西部に位置し、氷河期終了後に形成された渓谷や湖などが数多く各所に点在しています。手つかずのままの自然が残されている、イギリス屈指の景勝地です。「ピーターラビット」の作者ビアトリクス・ポターが、この地に住みながら自然保護・トラスト活動に力を注いだことでも有名です。

私は、ここの田園風景や古来の文化が大好きで、これまでに15回近く訪れています。ここでは、いわゆるフットパスを1日何10キロメートルも歩いて、原自然の風景と豊かな自然環境を楽しみます。フットパスとはイギリスが発祥の、森林や古い田園地帯、街並みなど、昔から残されているありのままの風景や街並みを、楽しみながら連続的に歩くための小道です。

昔は、歩きにくいところは、この小道を舗装したりして整備していましたが、最近ではそれらを剝ぎ取り、歩きにくい元の姿に戻しています。そうなると、多少気を張って歩かないと危険なところもあります。少し窪地になっているところには、雨が降ると水たまりができて、さらに歩きにくくなります。

そんな困難なところを避けながら緊張して歩いていると、喉が渇いたり、お腹がすいたりします。すると小路沿いの村に、元の馬小屋などを改築したこぢんまりしたパブ兼食堂のようなものが、ポツンと1軒立っているのが見えてきます。日本のサービスエリアや道の駅のように、大勢の人が入れる大きなレストランをつくれば効率はいいのでしょうが、大勢の人が集まると、ゴミの問題や小道・自然が壊される危険性があります。

しかし、そのような店には、お客が20人も入れないので、どうしてもあぶれてしまう人が出てきます。少し歩くと、また、店がポツンと立っています。私が英国スタディツアーで連れていった学生たちは、次の店まで歩くと、やっとビールや食事にありつけるわけです。

そうやって、人が集まる場所・店を分散化することにより、オーバーユースによる自然環境への負荷を軽減し、点在する多くの店・地域にお金が落ちる仕組みをつくっています。

さらにホテルに行くと、昔は当たり前に明るい電気がついていたのですが、今では、ランプやロウソクによる照明です。電気は用意されているのですが、シャワーでは隣接の川から水を引いていて、滝のように流れる冷たい水を浴びることになります。本来はお湯も出るのですが、冷水を浴びると後で妙に体がポカポカしてきて、すごく気持ちがいいし、ビールがうまくなります。

このように「原生の自然」を体感・実感できることが、今、大人気になって多くの来訪者が湖水地方を訪れています。

宿泊料の一部は社会貢献で支払うニュージーランドの観光スタイル

ニュージーランドにあるトンガリロ国立公園も、新しい観光のあり方を示唆しています。トンガリロ国立公園は、ニュージーランドの北島に位置し、公園内のトンガリロ、ナウルホエ、ルアペフの3つの火山は、古くからマオイ族の信仰の対象になってきました。ナウルホエは、形が富士山に似ているので、私は親しみを感じています。信仰の対象という文化的な価値と自然の価値の両方が評価され、1993年に世界で最初に「世界複合遺産」に登録されました。スキー場もあって、年間150〜160万人が訪れています。

この場所は、開発がまったくされていないわけではありません。スキー場は、山全体の表側と裏側にあり2カ所に分散化しています。ゴルフ場やホテルも山麓に点在しています。

この地区も、分散化と不便さの仕掛けにより「原生の自然」を満喫することができます。トンガリロ全体に多くのトレッキングコースが点在していますが、そこにピーク時には、1日2万人から3万人が訪れます。麓にバスステーションがあり、私が行ったときも大変な人の数でした。その人たちが、バスやタクシーを使い、各コースに移動・分散していきます。

例えば、1番のコースに行くバスは、20人くらい乗れて、目的地に到着したら、帰りは17時に迎えに来るので、それまでにここに戻って来てくださいと言われます。10分間程度待ってくれますが、もし、バスに間に合わなかったとしても、専用の電話ボックスがあり、そこから電話をするとタクシーが迎えに来てくれるので安心です。

歩きだしてしばらくすると、歩く速度が違うのでいつの間にかグループごとにバラバラになります。2万人いたのに、みんなどこに行ったのかと思うくらい観光客が分散します。

ホテルに帰ってシャワーを浴び、パブに行くと、観光客同士で「あなたはどこに登った?」「明日はどこに行くの?」と情報交換をしますが、それがとても楽しいわけです。コースの選択肢が多くて、結果的にはそれぞれが前日と違うところに行くので観光客が集中しません。

不便さを味わい、原生の自然をありのままに体感できる、この観光のスタイルは、ニュージーランドにおいて、ものすごく評価が高く人気もあり、多くの来訪者が訪れています。

ニュージーランドに視察に行ったとき、大学教授である環境保護団体の会長さんにインタビューを申し込みました。すると彼から自分が経営しているホテルに泊まりに来なさいと言われ、南島のクライストチャーチから車で行きました。到着したら、広大な牧場の中に平屋の木造の建物があり、自然の風景と一体化した素敵なホテルでした。

値段を聞いて驚きました。価格が書いてあり、1泊5万円です。そこでは「価格内の2万5000円が寄付金になります」と書いた紙が貼ってありました。実際の宿泊料は、2万5000円なのですが、寄付金分を支払わないと泊まることはできません。

2万5千円の寄付金分の支払い方法ですが、朝の5時に起こされ、車で牧場に移動して、植林活動を行います。ホテルはこの牧場を買収して新たな森を造成しているのです。宿泊者が森づくりに参加することで、2万5000円を寄付するという仕組みになっています。普段は体験しない森の作業を体験でき、その行為により、森・緑を増やす社会貢献活動に連動していく。宿泊することによって、そこの場所の美しさを感じ取るだけに終わらず、宿泊とセットで、社会貢献活動である森をつくる「体験型観光」になっています。

やっと大変な作業が終わったと思ったら、今度は「羊の毛を刈りますか？」「羊の乳も飲めますよ」と言われましたが、こちらとしては、早くホテルに戻って冷たいビールを飲みたい気持ちでした。

ホテルの主である教授が、数千ヘクタールの牧場を運営管理して、そこに木を植え、森をつくっているわけです。このホテルは、まったく宣伝していませんが、予約が取れないほどの超人気ホテルになっています。

ラグジュアリーの感覚が違う

宿泊するというだけではなくて、実際に現場に出て目的意識を持てるような具体的な行動を取ることにより、一定の社会的役割を果たすわけです。お客は、その目的に賛同して宿泊しにくるわけです。自分が植えた木が、20年後、30年後に成長して、その牧草地が立派な森になっていることを想像したらワクワクしませんか。

ホテルの経営者は、環境学の教授・専門家なので、森を育てていくことが、どのようにして自然度を高めることに効果を及ぼすかについて、夕食後にプレゼンテーションしてくれます。活動する社会的な意味や意義を学ぶ体験をすることが、一生懸命に木を植える原動力・モチベーションになっています。そのツアーの仕掛けや楽しさ、社会性が評判になって、世界中に広まり、多くの賛同者・ファンを集客しています。これが、新たな創造型・行動型の観光スタイルだと思います。

このように、ニュージーランドでは、宿泊観光だけではなく、社会貢献活動がセットになっている旅行が人気になっています。体験は短時間で楽な作業ではなく、大変な労力がいります。しかし、世の中の社会問題が少しでも改善され、良い方向に変わっていくことに直接的に関われるわけですから、充実感で心満たされます。旅行の楽しみと「社会貢献活動」のセット、これからの世界の観光の潮流になると思います。特に、そのような「体験型観光」を経験したいと思う人たちには、海外の人が多く、お金持ちが来ます。

このような世界の観光の潮流と比較して、日本はやっぱり観光振興の仕掛けが下手だと思います。今、山梨県は観光客に滞在時間を長くしてほしい、お金をたくさん落としてほしいともくろみ、富士山登山鉄道計画を立案していますが、五合目の雰囲気や来訪者へのおもてなしの方法を評価してみると、魅力に欠け、混雑も激しく、富士山への集客力向上への貢献度は低いと思います。国際的な範囲での集客を考えるとするなら、ビジターセンターの機能充実や多言語によるサポート体制の強化を含めて、世界的レベルのサービス体制を構築しなくてはならないと思います。

今の状況は、特徴のない、無秩序な観光地であり、世界から見ても低レベルで恥ずかしい限りです。

観光の上質化というなら、山梨県知事も国の官僚も政治家も、現在の世界の観光地の先進性について、海外に勉強に行った方がいいと思います。富士山観光の将来的なビジョンを構築し、世界中の先進的な観光モデルを集め、世界一の観光県を創造するくらいの革新的な考え方がなければ、富士山観光の未来はありません。

行政は、富士山遺産センターなどの「箱モノ」をつくって利用してもらうことを先進的な観光だと考えていますが、ハードとソフトの有機的な連携がセットされていなければ、地域の活性化に効果をもたらす、実効性の高い観光振興を実現することはできません。

住民たちが観光客数をコントロールする仕組みをつくりあげた英国コッツウォルズ

少数単位でお客を集め、付加価値を付け、高額の値段で宿泊してもらう観光サービスが、今の世界の観光の潮流だと思います。そこで、ポイントになってくるのは、地域との連携です。先に、世界の観光の潮流として、分散化と不便さをあげましたが、ほかにキーワードになってくるのは環境への配慮と管理です。

前に書いたように、観光産業の仕掛けが地域と連動し、地域の課題解決に役立つことによって地域の発展に寄与できます。大規模な商業施設や巨大ホテルしか地域になかったら、そこに、例えば300人のお客が来ても、独占的企業が点で儲かり、本社がある大都市に利益が吸収されるだけです。

そうではなくて、お客を地域全体に分散化する、宿泊してもらう仕組みを創り上げることによる、地域全体に利益が分配される新たな経済的メリット・観光システムの構築が必要です。利益を特定企業の点に集中化させない、偏執的に儲かるようにしない仕組みづくりを実現するためには、地元関係者が広く観光振興に関わり、地域全体の観光振興を運営管理していく仕組みづくりが必要になります。

海外の観光先進事例として、イギリスのコッツウォルズ地域の事例を紹介します。

『ハリー・ポッター』のロケ地としても有名な観光地です。イギリスの南西部に広がる丘陵地ですが、13世紀ごろに羊毛の集散地として栄えた地域で、現在でも集落の周辺には美しい田園地帯が続き、多くの羊が放牧されています。

地元で生産されるはちみつと同じ色をした「コッツウォルズ・ストーン」で作られた家が並んだ集落も美しく、来訪者の目を引きます。コッツウォルズは約400年前にあった、産業革命で失われたイギリスの「原風景」と評価されており、その懐かしい雰囲気を今も保っています。この地はもともと丘陵地帯だったので、当時は鉄道を敷くことや運河を建設することが技術的に難しかったために開発が進まず「原風景」が残されました。

しかし、イギリスの「原風景」がそのまま残っているということで脚光を浴び始め、そんな小さな村々が注目され人気となり、人々が押し寄せました。これが日本だったら、観光客が押し寄せることを放置し、あっという間に環境や景観が壊されてしまうでしょう。

しかし、コッツウォルズは違います。コッツウォルズにバイブリーという人口600人ちょっとの小さな村があります。1200年ぐらい前からある、イギリスで最も美しい村といわれています。そこには、ザ・スワン・ホテルという歴史的な素敵なホテルがあり、一年中、多くの観光客が訪れています。

この村の様子を見てみると、やはり地元の人は、オーバーユースのことを一番心配しています。的確なコントロールシステムが整備されていないと観光客であふれかえってしまう。そこで、地域住民たちは、コッツウォルズ地区全域を総合的に運営管理する「地域管理委員会」を設立して、観光客の流入制限や開発行為の抑制、環境保全の仕組み、歴史的景観保護の規範など、地域に適合した自主的な規制・管理システムを創設しました。

月ごとに地域の村々に入るバス会社を決め、Aの集落に入れないバス会社は、その代りにその月はBの集落に入れるようにするというように、観光客が特定の村に集中しないように、コントロールをしています。地域管理委員会の許可を取らないと、旅行社はこの地域には入れません。

地域管理委員会を通して、地域を規制、管理をすることによって、結果的に景観保護や環境保全などの地域監視の目が隅々にまで行き届き、古い建築物・建造物の維持・保全にもつながりました。人と自然との共生は、観光的利益優先の考え方では成立しません。地域単位での具体的で詳細な管理システムの構築がなければ成立しません。

イギリスの湖水地方のことを、前のページで紹介しましたが、ここでは、自然空間を生かしたホテルの配置が巧みに計算されていて、自然を満喫することができます。周辺の樹木の高さを超えないようにホテルが設計・建設されており、建物が自然の雰囲気や景観を邪魔しないようなつくりになっています。最近では、さらに規制が強化され、湖から300メートル以上離れないと、ホテルなどの建築物が建てられないようになりました。

もともとそこにある自然景観を保護・保全することに努力して厳しい景観規制を施せば、美しい環境をつくりだすことができます、そこには、周辺の雰囲気と不釣合いな建物は存在せず、新たな開発はあり得ません。

以前、湖水地方に私の学生を研修ツアーで連れていった時でしたが、山の上にある歴史的なパブまでホテルから歩いていくことにしました。すると、私たちの前を一人の年配の男性が歩いていました。突然、次から次へと街路灯にあるスイッチを降ろして灯りを消していくんです。その男性に「道が見えづらくて、危ないので電灯は消さないでほしい」と言ったら、「君、夜空を見てみたまえ、満天の星だよ。電灯は邪魔だろう」と言われました。男性のロマンチックで説得力のある発言には参りました。

日本では、とにかく人の安全性や保安性を優先し、街路灯を明るくする方向です。しかし、その場所の特性を踏まえた、臨機応変な対応は難しくなっています。世界の観光は「暗闇と夜空、満天の星、草原の景色、川の音、鳥の鳴き声」までも観光資源に活用しようとする工夫と知恵にあふれ、それらを演出するための装置、例えば先に紹介した電信柱ごとのスイッチの設置など、細かい配慮がなされています。

ニュージーランドのトンガリロ国立公園でも、3階建て以上の高さのホテルの建設は難しいです。実際は6〜7階建てのホテルもありますが、傾斜地に建てることで地面からは3階建てにしか見えません。あくまでも自然景観の保護が優先ですから、樹木の高さを超えないように工夫して建設されています。

そのような配慮と規制が、人が集まってくる要因・評価につながり、高額な宿泊費負担をいとわず、宣伝しなくても人が来るのです。これは確実に観光の意味・目的が変質していることを実証しています。日本もこの世界の観光の潮流を先取りしなくては「観光〝遅〟進国」になってしまいます。

原風景を守るための規制をすればするほど観光客が集まる

今、世界の国立公園では、厳しい法律を制定して、景観保護や環境保全を図っています。厳しくする理由は、二度と取り返すことができない貴重な原風景である豊かな自然環境や美しい田園景観を、今後とも持続的・永続的に守っていくための「セーフティーネット」の整備をすることです。

すなわち「原生の自然」が、そのままに保たれていることに、観光資源としての大きな価値・魅力があるわけです。時代の経過や温暖化による気候変動などを超越して、それらが、例えば100年前と同じように現在も適切に保全管理されて存続しているとしたら、他にはない類いまれな価値があるものとして、高い評価を受けます。

アメリカでは、貴重な自然は、法律による規制と厳しい管理体制を構築して守っています。例えば、カリフォルニア州にあるヨセミテ国立公園、花崗岩でできた絶壁のヨセミテ渓谷で有名ですが、ここでは、公園の約95%が原生地域です。世界自然遺産に登録されていますが、実際に行ってみると、パンフレットの中にHERITAGEという言葉を見つけることは困難です。

私は公園管理者に、何で「世界遺産」という表示が大きく記載されていないのか、聞いたことがあります。そうしたら、彼はこう言うのです。「要するにわれわれは、イコモスやIUCN（国際自然保護連合）が指摘するような基準の何十倍もの高いクオリティーで厳しい管理をしている。だから、世界遺産登録についてありがたがる必要はないし、その人たちに余計なことを言われる筋合いはない」とすごいプライドです。

また、マウントレーニア国立公園の関係者は、もっとプライドを持っていました。ここでは、世界自然遺産登録への取り組みに対応していません。所長にその理由を聞いたら「われわれは長く世界自然遺産登録の基準以上の厳しい規範に準じ、自然保護をやって来たので、いまさら登録する意味も必要性もない」と言い切りました。

管理や保全について、外部から指導されなくても、自分たちは完璧に対応してきたという自負と自信です。国立公園内にあったホテルと土地、スキー場を国が買収してしまい、公園内の95％くらいまでが、国有地になっています。他の機関から指導される前に理想の公園を作るための自主的な運営管理を行っている証拠です。このようにきちんと管理すればするほど、人が集まりますが、当然、美しい自然や素敵な景観が適切に守られています。

イギリスの湖水地方では、自然と調和・共生した観光振興が進み、宣伝しなくても年間1200万人もの観光客が、「原生の自然」を求め、訪れます。

自然を管理することや保護するために土地を買収することには、長期的な視点が必要になります。長期的な視点については、第7章の富士山再生のための提言で述べますが、日本政府は、国立公園内にも私有地が複雑に入り込んでいるので、包括的な管理ができないと言い訳しています。長期的・包括的な視点がないのは、大切な自然を徹底的・完璧に管理運営していこうとする強い意志と覚悟が、アメリカやイギリス、ニュージーランドと比較して脆弱なためだと、私は考えています。

以下、長期的な視点の必要性の事例として、ニュージーランドのトンガリロ国立公園の保全計画について紹介します。

周辺住民全員の同意が必要となる
トンガリロ国立公園のパートナーシップ制度

ニュージーランドのトンガリロ国立公園には「環境保全報告書」というものがあります。向こう10年、世界遺産に指定された国立公園をどのように管理運営していくかという「マネジメントプラン」を記したものです。この報告書の策定は、世界遺産に登録された時の義務として扱われています。

トンガリロ国立公園の事例では、最新のものは２０１６年から２０２５年までの10年間にわたるマネジメントプランです。生態系のレポートや自然環境保全計画、開発の現状など、多岐の分野・内容にわたる分厚い報告書を作成しなくてはなりません。富士山の場合も世界文化遺産登録時に策定していますが、ここまで精度が高く、詳細なものはありません。

次の版は、２０２６年からのプランになりますが、策定は5年前からスタートします。ですから最新版は、すでに２０２１年から作り始めていることになります。リサーチから仕上げまで5年間かけています。作成に当たって、ニュージーランド政府が大事にしているのが、ＮＰＯ・住民・行政・企業・専門家が関わる「パートナーシップ制度」です。

トンガリロ国立公園の周囲には、23万人の住民が住んでいますが、この制度の下では、10年間の管理運営プランを作成するにあたって、23万人全員と議論・検討を重ね、合意形成がないと、正式な手続きを踏んだと評価されず、計画は認可されません。

国立公園の担当者が、各地域を回り、トンガリロ国立公園の価値と魅力を守るために、今後、どのようにして諸般の問題解決を図るのか、美しい自然環境を守っていくためのアクションプランをどう作成していくか、ＮＰＯ・住民・行政・企業・専門家の役割とは何かを議論していきます。

以前、トンガリロ国立公園内にあるスキー場のリフトの増設計画が提案されました。当然、新たなスキー場の建設は自然破壊や激しい土地の改変を伴います。よって、議論のプロセスには徹底的な情報公開を前提とし、事業計画を住民やＮＰＯ・専門家に詳細に説明します。

例えば、今、山にある１００本の樹木を切ったとしたら、隣接の世界遺産範囲の中に１２０本の樹木を増やす対策を講ずることにより、最終的には自然破壊にはならず、逆に20％もの自然空間・緑空間を増やしたことになります。その緑と森、自然の復活計画に関わる実行性や具体的な効果などについて、多様な利害関係者や行政などと議論を重ねていくのです。

それに合わせて、専門家に依頼しての自然環境調査の結果についても情報公開します。例えば、開発予定地に貴重な植生があった場合、調査結果をもとに、住民との話し合いを繰り返して、自然を傷つけず、元の植生をどのように守っていくのか、決めていくわけです。

トンガリロ国立公園側は、より多くお客に永続的に来てもらいたいわけですから、お客の利便性の向上や観光施設の近代化・充実、興味を引くアトラクション施設の整備など新たな開発行為、取り組みは必要になります。

これらの議論・検討のプロセスを、最長5年もの歳月を費やし、その結論として7センチくらいの分厚い「アクションプラン」ができ上がります。分野別（環境対策編・歴史文化編・経済編・施設整備編・リスクマネジメント編）など5冊分くらいになります。ものすごい手間と時間をかけて作成します。

しかし、その手間が、民意を隅々まで汲み取る民主主義の基本形ではないでしょうか。そこまでの丁寧なプロセスを踏まえた「知の結集」を行わないと、美しい自然環境と景観保全、観光振興、地域活性化などのプラン策定は難しいと思います。

翻って考えてみると、山梨県の富士山登山鉄道計画に関わる事業説明会の現状はどうなっているのでしょうか。計画のプロセス段階から、住民はまったく「蚊帳の外」です。計画を作り込むプロセスに、住民は関与していません。

自然環境保護や、私のような世界遺産や世界の観光地の最新情報を知り尽くした専門家も、検討委員会などへのお呼びはありません。富士山登山鉄道計画については、第4章で詳しく述べますが、あれだけずさんで、時代遅れで危険な計画が恥ずかしげもなく提案されるのは、山梨県知事の意向を重視する役人と政治家の独善に原因があると思います。

そんなひどい計画を作った後で、住民相手に一方的な説明会を開いて、質問を少し受け付けただけで終わりです。富士山は、そんなに簡単で安易な山ではなく、次の章で述べるように、複雑多岐な歴史や背景があります。当然、地域住民とも深いかかわりがあります。

また、日本最高峰の単独峰として、噴火や災害の発生など、天変地異による危険な要因を多く持っています。登山鉄道計画は、想定外の自然の脅威、火山爆発、地震災害などの災害リスクを無視・軽視している、ずさん極まりない軽薄な開発計画といえます。私に言わせれば、富士山の神秘性・宗教性を冒瀆しているようにしか思えません。

この施策の目的が、富士山の観光振興に重きを置き、富士山の観光をさらに飛躍的にバージョンアップさせるための計画だとしたら、今の段階において、まずは、富士山登山鉄道計画を「中止」にして、世界の観光の潮流を多方面から調査研究し、新たな日本型・観光振興の富士山版を策定した方が得策だと思います。

これからの時代は、物づくりの時代ではなく、「食・商品・お店・異空間・遊び・癒し・交流・体験・社会的体験・散策・スポーツ」などの、地域の宝物探しや資源磨きを優先すべき時代に移行しています。

（左）富士宮市の白糸の滝。富士山の恵み、雪解け水が絶壁から湧きだす
（右）河口浅間神社。富士山の噴火を鎮めるために建てられた。
今も拝殿には「鎮爆」の文字が

第2章

富士山の歴史、その信仰と恵み

渡辺豊博

中学時代の富士山登山で知った住民の共助の心と信仰心

富士山は古来より、日本人の信仰の対象になってきました。私は、その信仰性と日本人の富士山に対する畏敬の念と憧憬の強さを、身をもって体験したことがあります。

読者の皆さんで、富士山を海抜ゼロメートルから3776メートルの山頂まで歩いて登ったことがある方はいらっしゃいますか。私は、中学2年生の時に友人と2人で歩いて、富士山登山に挑戦しました。

中学校に入ると、静岡県三島市内の学校の近くを流れる狩野(かの)川の環境・生態に興味を持ち、水源である最上流部の天城山八丁池から、河口の沼津港まで1週間かけて歩き、河原の石や植生の変化、魚の種類などを調べ、川が持つ多様な魅力と不思議に驚きました。

中学2年生になったとき、今度は、私が住む三島市から毎日見ている富士山の地下水の流れのルートを、歩いてみたくなりました。富士山と駿河湾が地下水でつながっていることを知っていたので、その地下水の流れを徒歩でたどることによって、富士山の大きさとともに確認したいと思ったからです。

駿河湾・千本浜海岸で海水を汲んで担いで富士山頂まで運び、お鉢（火口）に奉納・散水しました。帰りは富士山山頂の残雪を溶かし、担いで、ゴールと決めた沼津市の「大瀬明神(おせみょうじん)の神池」に戻すことを目的としました。当時は、自分独自の体と感覚で、富士山の信仰性と地下水の循環システムを確認したかったのかもしれません。

出発点を富士山から約32キロメートル離れた沼津市千本浜海岸の海抜ゼロメートル地点とし、富士山に登ったあとの終点は、駿河湾を挟んで約50キロメートル離れた「大瀬明神の神池」（海までの距離が20メートルしかないのに淡水の池であり、富士山の地下水が湧き出し、富士山とつながっているといわれています）とした約82キロメートル間を、10日間かけて歩き、壮大な富士山のスケールと景観美を体感しました。

最初に駿河湾の海水を20リットル入りのポリタンクに5リットル入れて担ぎ、沼津市から小山町を経て須走口登山道を山頂に向かいました。ポリタンクが肩にくいこみ、痛みに耐えながら歩き、なぜこんな無謀なことに挑戦したのか、反省し、投げ出そうと何度も思いました。

しかし、途中で驚くべきことが起こりました。とぼとぼと歩いているとき、その地域の人たちが集まってきて「何しているの、富士山にどうして登るの、どこに泊まるの、食事はどうするの、お金はあるの――。今晩私の家に泊まりなさい」と声をかけられました。周辺の住民やその親戚が集まり、豪華な夕食をいただきながら、富士山の話に花が咲き、接待漬けの日々が続きました。また、お布施をたくさんの人から受け取り、富士山頂上浅間大社奥宮のお札をいただいてくるように頼まれました。これは約60年前のことになりますが、地域には富士山信仰がしっかりと伝わっていて、不特定の登山者をもてなす富士講のご接待の仕組みや、深い信仰心が残っていることを実感しました。

その後、海水を山頂に散水・奉納し、「奥宮」に参拝して、お願いされた「お札」を買った後は、疲れが溶けていくような達成感と充実感で心が満たされました。「富士講」とは、江戸時代に隆盛を極めた、富士山をご神体として組織的に富士山参拝を行う集まりです。これは登山の苦しさやつらさを乗り越えてこそ実感できる「体験型の信仰」だと、子どもながらに理解・納得しました。

帰路はお鉢にある残雪を融かした水5リットルをポリタンクに入れ、担いで下山しました。沼津市西浦地区の海岸線を走る県道を、駿河湾越しに見える雄大な富士山の絶景を眺めながら歩きました。友人はこの旅・苦行をやめたので、途中から一人ぼっちになりましたが、寂しさや心細さはなく、目的の達成を目指す、自分の強い意志が後押ししてくれました。

途中、お布施をいただいた家にお札を届けましたが、富士山のご利益を受けたいということで多くの住民が私の体にさわり、人によっては私の汗まみれの顔を舐め回しました。パワースポットとしての富士山が発する気や潜在力を、登山してきた私から吸収したいとする強い思いや、土着的な信仰心が富士信仰の原点だと身をもって実感しました。

やっとのことで沼津市の大瀬崎にたどり着き、「神池」に富士山の残雪を融かした水を流し入れました。私にとってこの行為は、富士山と駿河湾がつながった瞬間であり、10日間にわたって、壮大な水の流れをたどった「証」です。子どもながらに未知なる夢への挑戦と富士講の信仰心を学ぶことができて、富士山がより身近な存在に変わり、ますます大好きになりました。

山体を崇拝することで火を噴く山を鎮める「富士信仰」

「富士山――信仰の対象と芸術の源泉」。これが2013年6月22日に富士山が世界文化遺産に登録された正式名称です。つまり、「世界の宝物」としてその類いまれな普遍的価値が評価されたのは、信仰の山である点と芸術家のセンスを刺激してきた美しい景観にあります。

富士山は万葉の昔から「不二山」（二つとない美しい山）、「不尽山」（素晴らしさの尽きない山）と書かれ、人々が崇め眺める「遥拝信仰」の対象でした。「富士本宮浅間社記」によれば、第7代孝霊天皇の御代に、富士山が大噴火をしたため、周辺住民は離散し、その地は荒れ果てた状態が長期に及んだとあります。第11代垂仁天皇はこれを憂い、浅間大神を祀り、山霊を鎮めたと言われています。これが富士山本宮浅間大社の起源になっています。

しかし、平安時代に入るとさらに富士山は噴火を繰り返します。800年から1083年までの間に12回もの噴火記録があります（富士市HPより）。そうして富士山の神への鎮魂の儀式が行われるようになります。

青木ヶ原や富士五湖を形成した貞観大噴火（864年）の翌年には、天皇の勅命により「鎮爆」の願いを込めて河口浅間神社が建立されました。いまもその拝殿には「鎮爆」の文字が掲げられ、富士山噴火の「鎮火祭」が行われています。

富士山本宮境内には、宝永の大噴火で飛んできた重さ100キロの火山弾が置いてあり、富士山噴火のパワーのすごさを実証しています。

このように富士信仰には、山体を崇拝することで火を噴く山を鎮めたいという願いがありました。富士山の霊を祀った浅間大社に関する信仰である「浅間信仰」です。浅間信仰のご祭神は、日本神話に登場する女神の木花之佐久夜毘売命で、別名浅間大神。火の神でありまさしくご神体の富士山を鎮める神です。

その後、伝統的な山岳信仰に仏教や道教などが習合した修験道が開かれ、山岳修行者たちが富士山に登って荒行をすることになります。鎌倉時代には山岳修験者や庶民の富士信仰が結び付き、入山（登山）修行を行う登拝する山へと変化しました。室町時代に入って火山活動が落ち着くと修行者はますます増えていきます。

しばらく富士山は修行を目的とした行者が登る山でしたが、江戸時代には長谷川角行を開祖とする「富士講」が盛んになりました。富士講はこの世と人間の生みの親は「もとの父・母」すなわち富士山であり、富士山が「根本神」であるという考えのもと、富士山に登ることを最上の目標とします。

どんな宗教でも受け入れる広い心を持つ「富士山信仰の歴史」

浅間信仰の中心である富士山には、各地から多くの人々が富士山参拝のために集まってきました。江戸時代には「富士山ブーム」が起き、日本人の人口が今の4分の1程度だった時代に、わずか2カ月で2万人が裾野から歩いて登りました。

白装束に身を包み金剛杖をついて、神社にある水場・お浄め所で身を清め、一合目から徒歩で古道を登って神の山を目指すのです。険しい山道を進む苦しみの中で唱えるのは「懺悔懺悔、六根清浄」の言葉です。その意味は、今の自分自身を見つめ直し、「眼・耳・鼻・舌・身・意」の六根を清めれば、罪が許され新しい自分に生まれ変わることができるというものです。

私はこの富士講は「共助の仕組み」だと考えています。江戸時代中期から末期にかけて、多くの日本人が金銭や享楽を求め、弱者への思いやりの心を失いかけた世相の中で、富士山に心を向けることで、お互いに資金を出し合い、助け合う仕組み・講をつくりました。そうして地域の一体化・団結を図ったのです。

富士講は、日本人の道徳心や人間愛、愛郷心を育成する「社会教育」「人間教育」の場だったのです。

登拝には「先達」という修行僧が伴い、神事を行いました。宿泊場所の「御師住宅」では、御師や先達が富士講の意義や人間として生きるべき道を語り、安全な登山の方法や環境に負荷をかけない自然との「共生の知恵」を授けました。御師は富士山を信仰する人たちの登山の世話をし、自宅を宿泊所として提供しながら、信仰者に代わって祈りをあげ富士山信仰を広める役割を果たした人です。その住まいを御師住宅と呼びます
また、富士山は「多神教」の山です。世界各地で終わりが見えない「宗教戦争」が続いていま

すが、富士山は、神道や仏教、密教、土着信仰など、どんな信仰でも受け入れる心の広さとグローバルな精神を持ち合わせていました。

気軽に登拝の喜びを体験できる富士塚

皆さんは、山梨県に20カ所、都内に100カ所、全国に870カ所あったといわれている「富士塚」に登ったことがありますか。

この富士塚は、富士信仰の集団、「富士講」の人々が、富士山から遠く隔たった場所から拝む遥拝の場所として、または、富士山への登山ができない信者・講員のために人工的に造った築山・塚です。

富士講は、富士信仰の組織であり、富士山に登るためのツアーグループといえるでしょう。江戸後期には、「八百八講」といわれるほど町中で組織され、多くの富士講が活動していました。富士講は、登拝信仰・富士山に登ることと、浅間神社に参拝することを目的にしていましたが、当時、富士山は女人禁制の霊山であり、遠方からだと強靱な体力が必要なことや登山には多額の経費もかかるため、庶民には遠い山でした。

日本各地に見られる富士塚(写真は東京都渋谷区の富士塚)。江戸時代の富士講と富士山信仰を今に伝える

そこで、誰にでも気軽に登拝の喜びと疑似登山を体験してもらうために、登山者が富士山の溶岩を運び込み、塚の表面に積み上げて山頂に浅間神社をお祀りする、富士塚を造ったのです。山頂には奥宮、中腹右手には小御嶽（こみたけ）神社をあらわす石祠、中腹左手には烏帽子岩、周辺には水の山を表す池を配置するのが基本形でした。

私は、東京都内にある3カ所の富士塚に登ったことがあります。まさに富士山のミニチュアといえ、富士登山の感動と信仰の思いを味わえました。入口の鳥居で山頂を仰ぎ参拝し、合目ごとの標識を目安に急勾配の階段を登ります。塚の表面は黒々とした溶岩の巨石や小岩が整然と積まれ、富士登山の雰囲気を実感できる演出がなされています。山頂まで登ると突然視界が開け、驚きの開放感を味わえます。

特に、品川駅から徒歩で15分程度の距離にある品川神社の「品川富士」は高さが15メートルと都内の富士塚の中でもっとも高く、山頂からの景色も素晴らしく、レインボーブリッジを見ることもできます。毎年、7月1日に近い日曜日には、講員一同が白装束をまとい浅間神社前で「拝み」を行います。その後、裸足で富士塚に登り、山頂の遥拝所や小御嶽の祠でも「拝み」をして下山する行事を江戸時代から続けています。

また、現存する富士塚のうち都内最古とされるのが1789年に築造されたという、渋谷区にある鳩森八幡神社の「千駄ヶ谷富士」です。JR千駄ヶ谷駅南口を出て10分ほど南下すると、鳩森八幡神社の鳥居が見えます。登山道は境内の赤鳥居をくぐると始まり、富士五湖を模した池を石橋で渡ります。高さは6メートル、直径は25メートル程度。登山道は25歩で山頂です。

七合目には胎内窟が造られ、お中道(ちゅうどう)もあり、山頂には奥宮とともに、霊水が湧く金明水、銀明水が配置されています。登山道と下山道が別々に設けられて巡礼道としての神聖さを醸し出しています。富士山そのものの実像が、見事に再現されており、パワースポットでもある富士山のご利益を、登山がかなわない多くの人々に分かち合おうとする、先人の思いやりや助け合いの共助の心を感じます。

東京都中央区にある鉄砲洲稲荷神社の「鉄砲洲富士」は、歌川広重の「名所江戸百景」にも描かれている有名なものです。現在、神社の西北隅にある富士塚は6メートルあり、時代を感じさせる荘厳な宗教施設の雰囲気ですが、二方向は高層ビルに囲まれていてわずかに破壊を免れている寂しさを感じました。

さて、現在の富士山観光の姿は、五合目からの「一点集中型」の観光登山が主流となり、登山者による環境破壊・被害は深刻です。富士信仰の基本は、「登拝信仰」ですが、地域にある富士塚を登山する「遥拝信仰」も重要な信仰上の役割を果たしていました。

富士山に登ることばかりを目標とせず、近くの富士塚を調べ、登山してみませんか。その疑似登山が、富士山の信仰性・宗教性・歴史性を学ぶことになり、富士山の文化遺産としての意味を知ることにつながります。また、富士山がいかに日本人に親しまれ、信仰されてきたかを体感できると思います。

日本の豊かな自然が円錐形の富士山に垂直状態に重なって命の帯を形成する

古くから日本に住む人々の信仰の対象であり続け、心の拠り所になってきた富士山。富士山はその豊かな自然環境によって、私たちに恵みを与えてくれています。青木ヶ原の裾野に広がる樹海から五合目までを覆う森林の面積は7万9124ヘクタールあり、豊かな植生、動物などさまざまな命を育む源です。また、深刻化する地球温暖化に対しても、その原因となるCO_2を吸収する貴重な役割を担ってくれています。

富士山の森の特徴は、垂直分布といって、標高によって変化して広がる多彩な植物や動物が楽しめることです。標高によって気象条件が大きく異なることから、800メートル上がるたびに区分が変わり、森林の様相・生態系が変化します。つまり、富士山が位置する山梨、静岡から北海道までの植生が、低地帯から3776メートルの頂上までの間で見られるのです。

ゼロメートル地帯から800メートルの標高までは、シイやカシなどの照葉樹林が広がる「低地帯」が広がります。800メートルから1600メートルまではブナ、ミズナラ、アカマツなどの落葉広葉樹林の「山地帯」です。1600メートルから2400メートルまではシラビソ、ダケカンバ、カラマツなどの針葉樹林の「亜高山帯」へと続きます。ここは気候帯でいうと亜寒帯、日本国内では北海道の気候ですので、植生も同じようなものになります。

このあたりの丘陵帯までは、スギやヒノキの人工林も多く見られます。五合目以上になると2400メートルから3550メートルまでは、森林限界を超えた「高山帯」です。イワスゲというコケ類が生息しています。さらに3550メートルから頂上の3776メートルまでの上部高山帯にはクロゴケが生えています。これは日本ではほかには北海道の大雪山でしか見られません。クロゴケは南極でも見られますが、富士山にも永久凍土の部分があります。

2400メートル以上では、ところどころに背の低い低木類が低温や強風、不安定な火山砂礫の地面に耐え生きています。富士山の「植物相」は、植物とシダ類を合わせ約1200種類があります。富士宮の猪之頭周辺にある樹齢800年の下馬桜というピンクの派手な桜や、国の天然記念物に指定されていますが、富士山吉田口登山道の中ノ茶屋から大石茶屋にかけた約3万3000平方メートルに、レンゲツツジとフジザクラの混成群落が広がります。山梨県の木であるカエデや花のフジザクラも見ごたえがあります。

富士山の五合目のエリアは、森林や動物の密度は日本一だといわれています。哺乳類は日本で暮らす約100種類のうちの42種類が確認されており、ニホンカモシカやヤマネは天然記念物でカモシカは山梨県の獣です。いちばん多いのはネズミとモグラ類です。小さなカヤネズミやハタネズミ、モグラはコウベモグラ、アズマモグラでこれらは青木ヶ原にいます。特徴的なのは日本でいちばん小さいヒメネズミでしょうか。

もちろん一般的なシカ、ヤマネ、タヌキ、キツネなどもたくさん生息しています。広葉樹林帯には、ニホンイタチ、ニホンリス、ムササビ、コウモリなど、針葉樹林帯には、オコジョ、ツキノワグマ、テンなどが暮らし、夜行性のものが多く、実際に姿を見かけることは難しいです。また、鳥類は山梨県の鳥であるウグイスや静岡県の鳥でサッカーJリーグのジュビロ磐田のエンブレムになっているサンコウチョウなどがおり、日本野鳥の会の調査で１００種類以上、渡り鳥を入れると約１７０種類の生息が確認されています。

日本の豊かな自然が、円錐形の富士山に垂直状態に重なって、命の帯のように密度濃く集まり広がっているのです。この豊穣な森こそ、富士山最大の財産といえます。

ところが、もったいないことに多くの来訪者が目指すのは、植物がほとんどない頂上ばかりで、新緑や紅葉が美しい多くの期間、森は閑散としています。数十本以上もあるといわれている裾野のフットパス（散策路）の整備や広報が進んでいないことが残念でなりません。

噴火がさらに豊かな森を形成してきた

富士山は、世界でも数少ない玄武岩でできた成層火山であり、山の「年齢」は「10万年歳」といわれています。日本の火山の年齢は50万年歳から１００万年歳なので、富士山は今後の噴火の可能性・危険性を秘めた「若い火山」といえます。

記録に残っているもっとも古い噴火は、奈良時代の『続日本史』に記されている７８１年。その後、平安時代には3度にわたって大きな噴火を繰り返し、なかでも８６４年の「貞観大噴火」

は、1707年の「宝永大噴火」と並んで史上最大・最悪の噴火規模とみなされています。平安時代以降は、100～150年ごとに噴火が起きていたのですが、宝永大噴火を最後に、現在まで300年以上もの間、不気味な沈黙が続いています。

富士山の美しい景観美は、過去の度重なる噴火によって約1万年前から形成されてきたものです。噴火によって大量の溶岩や火山灰が積もり、5000年くらい前にほぼ今の高さになったと言われています。富士山は世界文化遺産に登録されましたが、そのベースには、世界自然遺産に匹敵する類いまれな火山としての自然美を有していることが前提条件になっています。

富士山の噴火はその山体の美しさだけではなく、私たちに自然の美しさや水の恵みをもたらしました。一方で、噴火は多くの死者を出し、住民の生活を崩壊させ、人々を恐怖のどん底に突き落としました。富士山は対極の影響をもたらす、アンビバレントな山だと言えるでしょう。

青木ヶ原の樹海も噴火が作り出したものと言えます。864年に貞観の大噴火で溶岩流が約30平方キロメートルにわたって流れ出ました。噴火後5年は樹木が生えなかったということです。千数百年たってあれだけの森を形成しています。いろいろな動植物の一種のサンクチュアリになっています。あの爆発が自然をゼロに戻す攪乱を起こして、さらに豊かな森を形成するというスケールの大きな循環があるのです。

自然の奇跡的な偶然性に私たちは感謝しないといけません。その偶然性の一つに富士山が生み出す水があります。

火山礫などの地層が豊かな水を貯える

富士山の中腹以上の年間降水量は約2860ミリメートル、日本の平均降水量が約1700ミリメートルですので、およそ1・7倍の雨や雪が降っている計算になります。総計として、富士山一帯の降水量は20～25億トンにもなることから、その点でも富士山は「水の山」と言え、豊富な湧水を生み出す条件が備わっていることになります。富士山域の湧水量は、1日当たり534万トン（東京ドーム約4・3杯分）と推定されます。1人1日400リットルの水を使うとすると、1日当たり約1340万人分もの水を富士山に蓄えていることになります。まさに富士山は「水がめ」でもあるのです。

実際、富士山の周辺には、既存の調査によると山梨県には100カ所、静岡県には300カ所の計400カ所もの、富士山から流れる湧水地があるといわれています。私が「富士山学」を教えるために教壇に立っていた都留文科大学がある山梨県都留市では、環境省が選定した「平成の名水百選」に十日市場・夏狩地区の湧水群が選ばれました。市内には一年中豊かで清冽な湧水が網の目のように流れ、水生植物のバイカモが水中で白い可憐な花を咲かせています。

豊富な水を「お腹の中」に蓄える構造ができたのも噴火の力によります。噴火の際に火山礫、火山岩、火山弾が順番に下からどんどん噴き出てきます。この3種類はスポンジ層になっていて水を通します。その上にマグマが噴き出して重なっていきます。火山弾などの上に重なって固まったマグマは水を通しません。

また爆発すると同じように層が積み重なっていきます。場所によってはマグマも急に冷やされて亀裂が入って、下に水をしみこませます。このように水を蓄えられるスポンジ層がだいたい30〜35メートルにわたって何層も重なっているのです。

山梨県富士吉田市にある「白糸の滝」は、断面になっている層の上のほうから水が出ています。要するに、スポンジ状になっている透水層から水が流れ出ているわけです。

山梨県都留市の「太郎・次郎滝」では、噴火の痕跡が何層にも重なり合い30メートル近い崖となり、その崖の各層から湧水が噴出しています。壮大で迫力ある、まさに湧水のカーテンです。世界遺産の構成資産になっている白糸の滝に見劣りしません。地質学的・水理学的・自然環境学的な評価から見ても、世界遺産としての価値を十分に内在する貴重な場所といえます。

富士山の天然水は、バナジウムなどのミネラル成分を豊富に含む軟水です。バナジウムは富士山特有の玄武岩層に含まれており、それが湧出したものだと考えられています。静岡県を流れる柿田川の湧水群と山梨県の忍野八海は日本の名水百選に選ばれています。

富士山の豊かな地下水は、森の保水力のおかげでもあります。800メートルから1600メートルの間に生息するブナとミズナラは、まさに水の木です。水を根で蓄え、木で蓄え、葉で蓄えるわけです、それが「水の森・水の山」をつくっています。

水が一遍に流れないで、森が水を涵養します。緩やかに地下に戻していきますので、滋味あふれる天然水を育むだけではなくて、災害を防止するというセーフティーネットの役割を果たしています。保水することで、水が一気に地下に浸透してしまい、土砂流となるリスクを軽減・防止しています。

また、森の力は周辺に点在する湧水地の水量を安定させます。緩やかに地下に水を浸透させることにより、冬はあまり雨が降らなくても、柿田川の水量は、年間1日100万トンと一定です。夏が100万トン、冬は20万トンというような湧水量の変動はほとんどありません。森の生態系の循環と共生関係が、私たちの安全な暮らしを支えています。

富士山周辺の湧水地は、富士山と地下でつながっています。湧水は「血液」であり、流域全体は「運命共同体」と言えます。現在のように湧水の豊かさに甘え、油断し、地下水規制などの対策を怠り、湧水の無作為な汲み上げを黙認していれば、湧水は減少してしまいます。以前には、静岡県三島市にあり国の天然記念物・名勝に指定されている楽寿園・小浜池が突然干上がり、今では冬季の間はほとんど干上がってしまっています。

同じく、楽寿園から湧いて出る湧水が流れる三島市の源兵衛（げんべえ）川でも、上流地域に大きな地下水利用型の工場が立地され、地下水を大量に汲み上げたことによって水が枯れました。幸いにして、今ではその企業からの冷却水の供給によって水量の確保が可能となり、「水の都」三島市の象徴として源兵衛川は昔の清流・せせらぎの姿を取り戻すことができました。

私は、2008年から、富士山周辺に点在する500カ所の湧水地のうち、150カ所もの湧水調査を実施してきました。多くの湧水地は、現存していましたが、現場は草に覆われ、土が堆積し、水神さんも朽ち果て、農業用水や飲料水としての水源地の役割も弱くなっている場所も多く見られました。残念ながらそれらは、地域から忘れ去られた場所・存在になっていました。「水の山」として崇め、湧水を大切に守り・育ててきた先人の思いを、今の私たちは的確に継承しているのでしょうか。今後、湧水は石油より上位の国家的な資源になると思います。富士山の湧水の豊かさに甘えず、各地域に点在する湧水地や水源林の現状把握と問題点の認識、水を育む森づくりや水源対策などへの取り組みが必要とされています。

この後の第3章と第4章では、富士山の自然破壊の実態とこれから起こりうる破壊のリスクを述べますが、豊かな富士山の恵みも、人間による開発行為や経済活動により、一瞬にして無になったり、傷つき元に戻らなかったりする危険性があることは、歴史が示すところです。

私たちは、富士山の自然美や富士山信仰の宗教的な意味・意義を学ぶ機会をもっと増やす必要があるのではないでしょうか。日本人として世界に誇るべき富士山とその自然環境に「愛郷心」を育むためにも、四季折々の富士山の森に出かけ、富士山の自然力や雄大さ、時には、その怖さや不思議を実感、体験してもらいたいと思います。富士山の魅力は、底しれず、深遠です。

トイレから垂れ流された登山者のし尿とトイレットペーパーが白い川に。
バイオトイレの入れ替えが滞れば再びこの悪夢の光景が

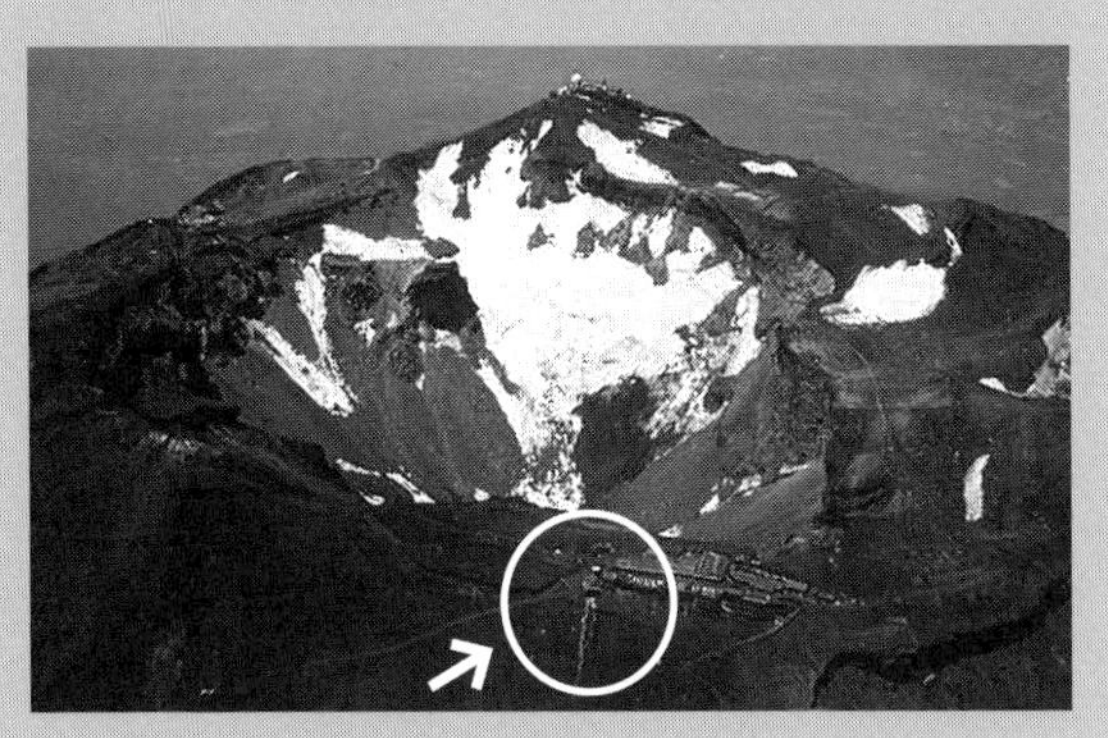

第3章

富士山6つの危機と本来の価値

渡辺豊博

イコモスに言われるまでもなく大事なこと

富士山が世界文化遺産に登録されたのは「信仰の対象と芸術の源泉」として評価されたからです。つまり富士山の今の価値が評価されたのではなく、過去の価値が評価されたことになります。

現状の自然保護・保全状態は、まったく評価されていません。自然遺産登録を国内審査の段階で答申することを、国が断念したことからも明らかです。評価されたのは過去なのに、江戸時代からの信仰の遺跡が保護・保全されることもなく、放置されています。また、芸術の源泉となる富士山の自然も汚され、景観美も阻害されています。

イコモスと世界遺産委員会からは、2013年6月22日に世界文化遺産に登録されたときから、改善事項が指摘されてきました。日本政府は2016年の報告書提出の期限までに、形だけの回答はしましたが、その勧告の課題は何ら解決されていません。

そして、問題の今回の富士山登山鉄道です。信仰の対象を開発で傷つけるうえに、計画にあるように真っ赤な電車を走らせる。

富士山に不釣合いな赤色が、「芸術の源泉」として評価された景観を辱めます。2重3重4重の意味で、富士山の価値を毀損する危険性が高いものです。

私もイコモスが100%正しいとは思っていませんが、その勧告は、富士山の価値を守り、高める意味でも傾聴に値します。観光振興を図るうえでも大事な指摘なのに、なぜ日本政府や山梨県、静岡県は、真摯に課題に向き合わないのか。本当に愚かだと感じます。

日本のみならず、世界中の富士山を愛する人々のためにも、この章では、富士山の価値を守るために、改めてその勧告内容を検討し、現在の富士山が抱える問題をどう解決していったらいいのかについて考えてみたいと思います。

1「巡礼道の描出」

イコモスの指摘事項として、構成資産間の関連性の理解を促進するために、現在は、使われていない巡礼道などを特定する調査研究を求められました。構成資産とは富士山が世界遺産となった価値を具体的に証明できるもので、25の資産があります。

富士山は「信仰の対象」であったのに、その巡礼道や当時盛んだった富士講を支えた神職である御師の住宅や拠点がきちんと保護されることもなく、放置されて廃墟になったり撤去されたりしています。イコモスから言われたのは、「富士講といいますが、旧道や昔の参道、巡礼道は本当にあったんですか？　その証拠はどこにあるんですか？　富士山を大事にしてその価値を守っていくつもりがあるなら、ちゃんと遺構などを調査研究して資料を探して、レポートを提出してください」ということです。

必要なのは、山麓の巡礼道の位置と経路をきちんと調査して、富士山上部に至る登山道との関係を示すことでしょう。特に重要だと思うのは、山梨県側の船津口から登っていく道です。河口湖畔の船津から富士山五合目の小御岳に直接登る登山道として整備されたと考えられています。ここは古くから参道として修験者が登っていましたが、江戸時代になると富士講によって、信仰の拠点となった船津胎内樹型（富士河口湖町）で瞑想してから、頂上に登る参詣道として多くの人々が行き交うようになりました。

溶岩が流れる際に倒れた樹木を取り込んで固化し、燃えつきた樹幹の跡が空洞として残った洞穴を溶岩樹型と言います。内部の形態が人間の胎内に似ているところから「御胎内」と呼ばれ信仰の対象となってきました。富士河口湖町にある船津胎内樹型と吉田胎内樹型（富士吉田市）は江戸時代、多くの富士講信者に信仰の対象として重要視されました。江戸時代、富士講の人たちは、富士山に登拝する前日にこの胎内を訪れ、胎内を巡って身を清めました。

富士山が信仰の山として成り立ってきたことを証明するためにも、重要な登山道でもあり場所でもあります。イコモスに言われるまでもなく、その遺構を調査し描出すべきです。しかし、残念なことに廃屋として残っていた御師住宅は復元することなく撤去されてしまいました。当時の歴史的な建物として残っていたのに、壊すとは何ともったいないことをするものです。

本来、古き価値あるものを無作為に壊してしまうことは、絶対にやってはいけないことです。撤去したのは世界文化遺産に登録された後です。とんでもないことです。

吉田口登山道を登って行くと、現在の五合目の佐藤小屋に出ます。その間の北口本宮富士浅間大社から一合目の馬返しまで、御師住宅は点々とあったようです。重要な参詣道ですから、その道の調査が試みられています。結果からいうと古道の全貌はわかりませんでした。これまでの調査では、学術的に明確にすることができませんでした。

北口本宮冨士浅間神社の駐車場の裏の県道がもともとの古道だったのではないかと言われていますが、壊されてしまっています。すぐ横の林の中に道らしきものがありますが、これが古道ではないかという説があります。でもはっきりとは証明されていません。もう少し上に行くと旧道が残っているのですが、これは本物だということがわかっています。登りやすいように敷いてあった石を掘って調べましたが、そこにつながる道かどうかは、はっきりしていません。

石が敷いてある道が途中で消えます。登って行く途中にまた少し出てきて馬返しにつながります。馬返しの周辺には少し道が残っています。「一ノ鳥居」跡といって古い鳥居の跡が残っています。ところが、その道が本物かどうかの調査をしていません。

静岡県側はどうでしょう。富士宮市にある村山浅間神社は、富士山における修験道の中心地でした。明治時代の廃仏毀釈運動により廃されるまで、興法寺という寺院もありました。その昔の富士山本宮浅間大社の大宮口から登って、村山浅間神社につながる大宮・村山口の巡礼道を調査し、巡礼道であることを証明することが重要です。

実は、私は富士山クラブというNPOの事務局長をしていたときに、独自に道を調査しました。仲間と上まで登ったら、やはり何カ所もそれらしい道がありました。御師住宅の基礎も残っていました。それらをつないでいくと、道がいくつもあって、バラバラでつながりません。巡礼道が何本もあるのではと思うぐらいでした。やはりそのときも、どの道が巡礼道だったのかを証明することはできませんでした。

イコモスは、日本人が登拝という信仰の中で富士山に登ったというのだったら、その証拠を見せろというわけです。私はそんなことを言われるのが悔しくてたまらないので、自ら調査しました。富士山の周りをぐるりと回る参詣道だった「お中道」も大沢崩れという大規模な山崩れで途切れてしまい、一周できなくなっています。

たしかに、調査には莫大なお金がかかるとは思います。いちＮＰＯで調査を行うのは、億単位での予算が必要になることから不可能です。しかし、登山鉄道に１４００億円も投資する余力があるなら、国や自治体は、このイコモスの指摘する課題を、しっかりと税金を投入して解決すべきです。巡礼道としての宝物を国内外に実証する作業になります。

フランスからキリスト教の聖地であるスペインのサンティアゴ・デ・コンポステーラを目指して続く「巡礼の道」があります。４つのルートが世界文化遺産に登録されていて、長いものでは９００キロメートルもの長距離になります。９５１年に巡礼が始まったと言われていますからかなり古い道ですが、それぞれの道がきちんと整備されて残っています。

富士山は、３００年ぐらい前の江戸時代のものが、もう、わからなくなっています。「絹本著色富士曼荼羅図」の富士山本宮浅間大社から富士山頂に上がっていく図の再現をやるべきです。

再現できたら素晴らしい価値があるでしょう。

巡礼道の歴史的建造物と雰囲気を再現することは、富士山の信仰性を取り戻すことになります。また、富士山を訪れる観光客・登山客は自然と一体になった巡礼道・古道を歩くことにより、日常生活の中で失われた高い精神性を取り戻す、貴重な機会を得ることができます。それこそが、富士山が持っている本質性であり、深遠な魅力なのです。

2「来訪者管理戦略」と2024年から始まった最悪の入山規制

入山料の使途を隠さず明示せよ

これは適正な登山者数の維持などのために方針と手法を示せということです。現状では前提となる来訪者の正確な把握ができていません。把握するためには③の「情報提供戦略の必要性」で述べますが、海外のように、ビジターセンターで一元管理するしか方法がありません。

そのような根本的な解決策を実行する前に、環境省や山梨県と静岡県は、2024年度から「富士山オーバーツーリズム対策パッケージ」として、入山規制策を実施しました。

山梨県では、県条例を制定して五合目にゲートを設置、1日の登山者数が上限4000人を超えた場合にそのゲートを閉じることを決めました。ゲートは連日16時から翌日の午前3時まで閉じて、夜中に登山する弾丸登山を規制します。さらに通行料2000円徴収を義務化しました。

一方、静岡県は、登山ルートが県有地ではないために条例制定ができないとして、入山希望者がネットで事前登録をするシステムを構築しました。また、山小屋宿泊予約がない登山客には、この登録システムによって、16時以降の登山自粛を要請するという緩やかな規制になっています。

これらの規制はその場しのぎの最悪の施策です。世界文化遺産に登録されているのは、富士山全体です。また、富士山は、日本を代表する観光地で信仰の対象であり続けた山です。日本人の大切な財産であるはずなのに、規制が場所で違うのはありえない話です。

「対策パッケージ」を作った協議会でも、専門委員の山本清龍東大大学院准教授や山小屋関係者から「全体管理を考えたときに方向性の統一を目指すべき」「富士山全体で同じ仕組みが理想」という声が上がりました。

山梨県は規制を強め、他方、静岡県は緩いままでは、どんな結果になるのでしょうか。そもそもそのような統一性のない、いい加減なやり方は、富士山を冒瀆するものです。

問題はいくつもありますが、ひとつは山梨県側で2000円徴収する入山料の使途が明確化されていないことです。噴火の退避シェルターを作るという報道もありましたが、そもそも噴火対

大混雑する富士山五合目だが、
正確な利用者実数把握のシステムはない

策として、シェルターは効果が期待できません。

これまでは両県とも「富士山保全協力金」という名目で、任意で一人当たり1000円払ってもらっていました。実は、このお金もどこに使われているのかよくわかりません。

私が調べた範囲では、1000円取るための経費が600円かかっているはずです。経費のうち、記念品として缶バッジと協力証を作って、400円の経費がかかっていると推測できました。それ以外の経費は人件費だろうと推測できます。徴収する山梨県と静岡県に入るのは400円と試算ができましたが、この徴収した400円の使途がはっきりしていません。

任意だろうがなんだろうが取ったお金の使い道はきちんと明示・公開すべきですが、今回は、強制徴収です。これからは、取ったお金の使途を詳細に情報公開すべきですし、富士山の保全にかかわる使い道以外には、1円も使ってはいけません。間違っても、使い勝手のいい雑収入のようなものにならないように注意してもらいたいものです。

今回の措置で大きな問題だと考えるのは、来訪者への一方的な「不利益変更」であることです。これまで1000円で、しかも任意だった「入山料」が、突然、強制的に2倍にも増えます。山梨県知事は「ラーメン一杯が2000円する。富士山はそんなに安いものですか」と説明しましたが、富士山にもラーメンにも失礼であり、相変わらず傲慢な物言いです。だいたいラーメン一杯2000円って、どんな豪華なラーメンなんでしょうか……。

安いとか高いとかが問題ではなく、お金を取るならその分、来訪者のために何ができるか示すべきです。そもそも富士山の登山環境は劣悪なものです。海外の世界遺産と比べると、「富士山という素材の優秀性」以外は、あらゆる対策・施策で大変立ち遅れていて、トンガリロ国立公園などの世界遺産を訪れるたびに恥ずかしくなります。

来訪者管理というと、安全登山のための方策が重要になるのですが、今の登山者の安全管理体制は貧弱です。急病者やケガ人などに対応する医療施設は、富士山八合目富士吉田救護所の1カ所しかありません。高山病は、だいたい八合目から上に登ったときになります。夏のピーク時には最大1日1万2000人も登頂を目指す富士山には、少なすぎます。

24時間対応をしてくれていますが、医師・看護師もボランティアです。さすがに夏のピーク時だけは臨時の救護所がもう1カ所増えますが、静岡県側にはありません、これは大問題です。医療体制は未整備・不十分で世界一危険な山といえます。

安全管理上、重要なのは携帯電話が自由に使用できる環境が確保されていることです。昔に比べれば、つながりやすくなりました。私がNPO法人「富士山クラブ」の運営を担っているときに、携帯電話のアンテナ基地を富士山に建てる運動を行ったのですが、なかなか許可が下りず、電話会社に頼んで、富士山測候所の壁に臨時のアンテナを設置してもらいました。壁に貼る簡易性のものです。

その措置により、携帯電話はそれ以前に比べてだいぶつながるようにはなったのですが、やはり電波は弱くて、霧が出たり、風向きによっては、つながりにくくなります。南側に回るとつながりますが、北側に入るとつながりにくいなど不安定でした。雷が発生したら、全然つながりません。

山小屋の横にタワーをいくつか建てれば電波状況は改善します。遭難時の救助や急病の連絡など命にかかわる問題ですから早急にやるべきです。イコモスも安全管理のためにやるべきだと言っています。山小屋の横に建てるなら環境破壊も最小限に抑えられます。

驚くことに、エベレストでは、7600メートル近くまで携帯電話が通じます。そこから上は衛星電話です。8600メートル地点でも携帯はつながります。宇宙に飛ばす衛星電話ですから、さすがに費用はかかります。

来訪者管理に関して、イコモスから指摘されているのは、山小屋の宿泊状況の実態調査です。これもいまだにいっさい実施していません。入山制限をするなら五合目と上下一体となってやらないと、入山数が何人なら適正なのかを判断できないので、これも今年度から合わせてやるべきです。山小屋の宿泊環境も劣悪な山小屋があり、改善の余地があります。

来訪者管理に関する規制でいうと、入山料徴収の他にもやるべきことがあります。現在夏場の2カ月間、マイカー規制を行っています。

CO_2排出を抑えるためですが、タクシーを利用して登る人も多いと思います。なぜかと言うと山梨県側だと、ふもとの富士山駅から五合目まで4人で乗ると6000円くらいで行けます。バスが片道1500円くらいですから、時刻表との兼ね合いで、タクシーで移動する人が多いのです。環境負荷を考えれば、すべて電気バスや電気自動車のタクシーにするべきですが、すぐには移行できないと思うので、しばらくは、バスだけ乗り入れ可とすべきかもしれません。

規制を行うのであれば、富士山が抱えている問題を解決するための財源の捻出など、負担者のためになる使途の説明が必要です。ただ、登る人が多すぎるから金をとるという懲罰的な姿勢は公共機関としては問題です。

また、規制をするなら、山梨県と静岡県で対応がバラバラでは実効性が期待できません。抜け道が多くなるのは当然のことです。ここでも必要不可欠な要件は、一元管理の仕組みです。なぜ環境省、山梨県、静岡県は、こんな法律的根拠が希薄な入山規制を決める前に、富士山に詳しい専門家や法律家、ＮＰＯ、地元商工業者などの意見を真摯に聞かないのでしょうか。

3 情報提供戦略の必要性

また、イコモスから、情報提供の拠点となるビジターセンターの整備と構成資産の関連性の示し方などが求められています。観光客の利便性や富士山の魅力を伝えるためにも重要なことですし、来訪者管理と表裏一体となっているという意味でも重要です。

私は海外の世界遺産地区や国立公園の登山者管理システムを見てきましたが、多くのビジターセンターが、来訪者への情報提供や登山教育の役割を果たしていました。例えばニュージーランドのトンガリロ国立公園で登山を希望する人は、まずビジターセンターに行って、レンジャーやガイドから当日の山の様子や安全などの情報を聞き取り、自分の登山計画を説明してアドバイスを受けます。そこで登山者は、登山計画書を提出します。そうすると登山者のスマートフォンには、山頂の天候や混雑状況などの多様な山の情報が送信されてきます。なお、入場料金は無料になっています。

その登山者がたどる予定の登山コースの歴史や見どころ、危険性まで、レンジャーが詳しくガイドしてくれます。また、センター内には、上映設備が常設されていて、そこでは、山の生態系、噴火の歴史、地質的特性、文化などに関わるさまざまな種類のビデオが用意されており、それらを20分から30分くらい見ないと登山することはできません。その山の登山のルールや特性、特に注意を払わなければならない決まりを学びます。その学びを通して、価値ある山を保全する必要性を学ぶことにつながっていきます。

登山者の災害時の安全確保の事例を紹介します。ニュージーランドのトンガリロ国立公園では、噴火により死者が出ています。最近では、２０１２年に噴火があったばかりの活火山であることから、情報提供の確実性や迅速性は死活問題です。

火山噴火の跡が湖になっていますが、噴火前になると、この湖の水温が上昇するので、常に水温を計測してインターネットで配信しています。それは登山客も見られるようになっています。発災時の避難案内板も登山道の各所に設置されており、避難経路については画面上に避難路が赤い点で表示されて夜でも見られるようになっています。

また、海外の国立公園や世界遺産の施設では、自然保護隊員であるレンジャーの組織が充実しています。それぞれのレンジャーに逮捕権が与えられている国もありますし、自然を汚す人を排除できるなど強い権限が与えられています。また地質学や法律など専門的な知識を持っている人も数多くいます。

専門的な知識を生かしてガイドも行いますが、それぞれのビジターセンターでは、ボランティアレンジャーを含めて、多くのレンジャーが働いています。アメリカのヨセミテ国立公園では、正規職員やアルバイトを合わせて1200人、マウントレーニアやトンガリロ国立公園では正規職員で50人くらい。アメリカでは年収が1000万円を超えてほぼ終身雇用ですから待遇もいいです。社会的にも高い地位が保証されています。自然を守り、その良さを伝える職業が重要視されているためです。

一方、日本では、富士山ですら、全体でたったの3人。山梨県側に2人、静岡県側に至ってはたったの1人です。これでは管理業務が精いっぱいで、現場に出て富士山の価値を来訪者に伝えるような仕事はできません。

ニュージーランドのトンガリロ国立公園のビジターセンター。常勤レンジャーからさまざまな情報を収集できる

イコモスからは、構成資産の関連性の示し方や各構成資産の解説をもっと質量ともに充実させなさいと勧告されているわけですが、富士山の現在の職員配置では対応できません。富士山には25もの構成資産が登録されています。それぞれ歴史や美しい景観を誇る素晴らしい資産です。周辺の自然環境も世界中のナチュラリストに対して誇れる立派な資産です。

日本では、山梨県に富士山世界遺産センター、静岡県に静岡県富士山世界遺産センターがありますが、両方とも専門的な情報・知識を紹介する資料館的な調査研究機関といった施設です。富士山の豊かな構成資産を関連付け、アピールまたは案内する施設や人材が少ないことが問題です。登山鉄道計画を練る暇と予算があるなら、速やかに、ビジターセンターやレンジャースタッフの雇用拡充や人材育成を図るべきです。

4　登山道の保全と山小屋の修繕、そして汚される富士山

私はNPOで富士山の環境保全活動を長年行ってきましたが、富士山の自然破壊はすさまじいものです。遠くから見ると常に美しい富士山なので、多くの方は気づいていないかもしれませんが、危機的状況です。

イコモスからは、登山道やブルドーザー道、山小屋など富士山の登山環境を整備するべきとの勧告を受けています。イコモスは、山小屋の改修状況把握と風致景観への配慮も必要だとしてい

ます。富士山の神聖さ、美しさと調和していないので、その改善と保全の方法を示せというのですが、10年以上たったいまも改善どころか状況は悪化の一途です。

登山道に関しては、私が中学生だった約60年前からずっと登っていますけれども、登山者が歩いたあとをそのまま放置していますから、幅は広がり、どんどん深くなっています。幅は5倍くらいになり、1メートルくらい深くなっています。途中ロープやチェーンの手すりがあったり、それらにしがみついて石の上を登らなければならなかったりで、非常に危険です。登山道を歩くだけでも、ケガのリスクが高まっています。

登山道が深くえぐられているので、雨が降ったら登山道を水量を増しながら雨水が流れてきます。一種の川になっているわけですが、こんな危険な道は、ニュージーランドやアメリカでは見たことがありません。いくら自然に手を付けてはいけない世界遺産でも、修繕・改修は必要です。山小屋に自家発電の重油や必要な什器、食糧などの運搬のために登り、大小のゴミやし尿を積んで下っている、ブルドーザーが通るブルドーザー道も同様の状態です。

幅が広がることで、周辺の植生も削り取られ、浸食されています。自然破壊を防ぐという意味でも、登山道やブルドーザー道は富士山の神聖さ、美しさと調和した保全と安全の確保をするために、すべてを測量し危険な状態を把握する必要があります。

さらに、登山道の周辺の斜面には大砲の弾みたいな大きな火山弾が突き刺さっています。噴火時に火口から飛んできて、かろうじて引っかかっているだけの危険極まりない火山弾もあります。

何らかの力が加われば転がり落ちてきて、登山者がケガするリスクがあります。いったん転がり始めると、他の石も巻き込み、勢いを増してガラガラと落ちてきます。そういう所を斜めに登っていくわけですから、登山者には落石の危険がいっぱいです。年に一度は必ず、登山道やブルドーザー道の一斉点検を行い、定期的な安全パトロールも必要です。しかし、そのような点検調査をしていません。本来は、危険な箇所には手すりを付けたり、階段設置や木製ボードの道に整備するなどの施設修繕・保全管理が必要なのですが、実施していません。これだけ多くの人が登る山としては、富士山は世界一危険な山なのです。

とにかく、富士山の登山道の状況は悪化する一方です。国指定の名勝地で世界文化遺産なので、一木一石動かしてはならないという規則がありますが、人の命を守ることですから、そんなことは制約になりません。私がＮＰＯでバイオトイレを設置したときに役所に提出した書類を積み上げたら、１メートル50センチになったという話を「はじめに」で書きました。

すさまじい法律のしがらみがあり、富士浅間大社から始まって、環境省、文化庁、山梨県、静岡県、関係市町村などを

五合目からおろされたゴミ。
ほかにも富士山には捨てられたゴミが散乱している

説明に回り、何から何までの許可を取らないと設置できません。命を削るような我慢比べの連続的な作業でしたが、誰かがやらないと富士山を守れないので、設置しました。

富士山を守ることで人類の進歩に貢献できる循環型バイオトイレを開発

さらに、イコモスの指摘事項は、山小屋の改修状況の把握と風致景観への配慮、環境対策への取り組みというものです。「風致景観」とは、「自然の景観などのおもむき、味わいへの配慮」という意味だと思います。つまり山小屋は富士山の自然を汚し、景観を阻害している部分もあるので、できるだけ軽減するように配慮しなさいと指摘しています。

自家発電については第4章で書きますが、実際の現場では排気ガスはひどいです。重油を使って発電し、黒煙を大気中に放出します。稼働するときは、山小屋の部屋の中まで黒い煙が入ってきて臭うくらいですから、相当の大気汚染状態だと思います。

これも第4章で書きますが、富士山測候所に送電するために富士山の地中に電気ケーブルが埋設されています。すでに一部山小屋にも送電されていますが、ほかの山小屋にも送電することは可能です。これは早くやる必要があります。

次のイコモスの指摘事項は、私が懸命に取り組んできた、山小屋のトイレの実態と維持管理の調査です。２０００年までは、富士山山頂では国が開設したタンク式トイレが使われていました。

夏のハイシーズンには、し尿を目いっぱい溜めて、閉山時に山の斜面に廃棄、垂れ流しするというとんでもないことを行っていました。

五合目以上には、山小屋のトイレと公衆トイレが40カ所以上ありましたが、どれも同じようなものです。廃棄後、冬の間はし尿が雨や雪で流されますが、何十年も垂れ流しを繰り返すうちに、斜面上にトイレットペーパーがへばりつき「白い川」のようになってしまいました。し尿の臭いもきつく、登山中迷ったら悪臭がする方に歩いていけば、山小屋にたどり着けたくらいでした。し尿とトイレットペーパーによる「白い川」は、富士山の汚染の象徴として大々的に報道され、世界的に日本の環境対策の遅れと恥をさらすことになりました。

１９９９年から、私が事務局長を務めた「富士山クラブ」と大阪のメーカーとで杉チップによるバイオトイレを開発して、富士山において実証実験を始めました。２００１年には、日本で最初に、富士山頂の浅間大社奥宮付近に杉チップとおがくずタイプ2種類の循環型トイレ1台ずつを、第7章で紹介するような「市民力」で設置しました。

それをきっかけとして、富士山には、42カ所の山小屋に、49

杉チップを使用した廃棄物ゼロのバイオトイレ。
富士山の汚染を解決する大きな力になった

基のバイオトイレが設置され、現在に至っています。バイオトイレの処理方法は、おがくずを使用したコンポストトイレが6割、カキ殻を使用したトイレが2割、あとは、燃焼式トイレなどです。このバイオトイレの新規導入によって、長年の課題である富士山のし尿問題が解決できるかに思われましたが、バイオトイレにも寿命や耐用年数があり、現在入れ替え時期に来ています。

バイオトイレにはいくつか種類があり、私たちが開発した杉チップ型は完全循環型で、普段使っている水洗トイレと同じ使い方ができます。杉チップに付着したバクテリアが、し尿を窒素ガスと水に分解してくれるので、その水を貯水槽に貯めて、水洗の水として使えるのです。

水分の一部は蒸発するため、貯水槽には水の補給が必要になりますが、冬を越してもバクテリアが生きていることが実証されたので、長年活躍してきています。基本的には、何もしなくてもバクテリアがどんどん自分でし尿・有機物を分解してくれます。しかし、今、問題になり始めているのは、おがくずの能力低下により使用できなくなり始めている、おがくずを利用したコンポストトイレです。

コンポストとは堆肥にするという意味がありますが、排泄物がおがくずと混ざってバクテリアが発生し、分解されるトイレです。尿が何回も入ってくると次第に塩分濃度が濃くなり、バクテリアが弱り、死んでいくという弱点があります。ですから、月1回程度、古いおがくずと新しいおがくずを入れ替える必要があり、手間と費用がかかります。

富士山の場合は、運搬費が高額ですから、1回入れ替えるのに総額100万円くらいかかります。富士山トイレはトータルコストが安くなる杉チップの方が適していると、私は宣伝したのですが、山小屋は、当初の提示・入札価格が安い方を採用・購入してしまいました。後年のトータルコストのことを考えていません、ゆえに結果的に今、多くの山小屋は高額な維持管理費の捻出に苦労しています。

使用料に関しても、維持管理費を考えたらもっと高くするべきだと説明しても、協力金・チップだから２００円が限度だと行政から指導されました。それでは資金不足になります。そのために、バイオトイレに便槽が3つあったとしても、1つしか使わせないようにせざるを得なくなります。他の山小屋のトイレは、元の汲み取り式の「ポットン便所」を同時に備えています。し尿処理の経費増大を受けて、経費節減のために、だんだんと昔の垂れ流しトイレとの並行使用に移行せざるを得なくなってしまいます。

やはり杉チップを使ったバイオトイレが、トータルコスト上で比較すると経済的ですから、トイレを交換していけばいいのですが、バイオトイレの設置に係る補助金制度が時限立法でしたから、再設置すると全体工事費の50％は山小屋負担になります。

本来は、富士山の環境保全・美化・衛生環境の改善のためには、国や県、市町村の資金的な支援は不可欠です。当然、新たな補助金制度の制定は必要なことだと思います。何もしないとしたら、今後、昔のように富士山がし尿とトイレットペーパーの白い川で汚されていきます。見るに耐えない、恥ずかしい実態です。再設置の申請時は、役所のほうでも設置許可の手続きを簡略化していただき、提出する許認可の書類は、せめて1メートル以内の高さに収められるようにしてほしいものです。

富士山登山鉄道の敷設工事と同時に、下水道を道路下に埋設する工事計画もあるようですが、これ以上、富士山を傷つける工事はやめにしてください。バイオトイレに予算をつければ、環境に優しい循環型・し尿処理システムが見事に構築できます。

それらが確実に稼動するようになれば、循環型バイオトイレを量産できるようになり、災害時など人類の非常時に効率的に稼動できる、安全で衛生的なバイオトイレを街に備え付けることもできます。「開発」「開発」と声高に叫び、それをすべてに優先させるのではなくて、富士山を守ることにより、人類の進歩に貢献できることを実現していく必要があります。

将来的に必要なことは、トイレの使用者・利用者の教育です。富士山では、バイオトイレの扉に足を突っ込んで開けたまま便所を使いチップを払わない、非常識な人たちがいます。本当に恥ずかしい限りです。

世界的には、登山者は山に行くとき、個人ごとに携帯用トイレを持参していくことは常識になっています。ニュージーランドの小学校では、学校教育・登山教育の一環として生徒たちが携帯用トイレを持参し、山に登る授業・訓練を行っています。トンガリロも富士山も「聖なる山」ですから、山に入ったら自然を汚さない意識を高める教育も必要です。

緊急の客用のベッドまであるニュージーランドの山小屋

今の山小屋によるサービスが、世界文化遺産の宿泊施設として適正なものかどうかということも検証の余地はあると思います。古い山小屋では混雑時には足をゆったりと伸ばしたり、自由に寝返りをうっての就寝は難しいです。斜めになったままで、隣の人とぶつからないように寝なくてはならず、寝ても疲れが取れません。登山の英気を養うための山小屋なのに、寝ている間に疲れてしまうのは、本末転倒です。

海外の話が多くて恐縮ですが、ニュージーランドの山小屋は、一人一台のベッドで暖かくして眠れます。登山中に予定が変わって、急に山小屋を利用する人もいるわけですが、そういう人が自由に宿泊できるホールも用意されています。普段は食堂や何かの集まりで使うスペースですが、そこには壁に折り畳み式のベッドが用意されています。そのホールでは、基本は事前予約ですが、予約なしで、事情により急に入ってきた登山客でも宿泊は可能です。

建物も暖房が効いていて暖かく、身も心も休まります。トイレはコンポスト方式ですが無料で利用できます。宿泊も無料です。なぜでしょうか。山小屋には登山者を保護・保全して、安全性を確保するための「シェルター」「避難所」の役割があるからです。

登山者が緊急的に逃げ込み、命を守れる場所なのです。避難所と宿泊施設の役割と機能を備えています。当然ながらレンジャーが常駐していて、非常時には特段の対応をしてくれます。しかし、山裾に点在するロッジ・ホテルは当然有料です。

日本では登山者を人として見ていないのではと思ってしまいます。そう思うくらい、海外の世界遺産の山小屋と比べると機能とサービスに見劣りがします。富士山の山小屋のサービスに大いに改善の余地があると言っても、それにはすべて資金が必要です。きちんと収益が上がり、今後も持続可能な経営ができる見通しがつかないと、改修への投資はできません。

そういう意味でも、適正な登山客の管理を行い、無理のない範囲で安全に登れる現場の環境づくりが必要不可欠です。しかし、2024年から山梨県側は、登山客が1日最大4000人を超えると入山規制することを突然決めました。

夏のピーク時には最大1万2000人登ったことがある、世界一過密で危険な山が富士山だといえます。それが突然、登山者数が3分の1に減らされてしまったら、山小屋の経営は成り立ちません。もちろん、1日1万2000人は多すぎますが、適正な数がなぜ4000人なのでしょうか。山小屋を予約していなければ登山できないのですが、山小屋の収入は宿泊料だけではなく、夜中の登山で冷えた体を温める甘酒やカレーなどの軽食の提供も重要な収入源になっています。

その収入が3分の1に減ってしまったら、山小屋の経営は成り立ちません。

登山者の適正な数というのは、山小屋経営の安定的な維持までを考えての、決められた数字なのでしょうか。こんな混乱した支離滅裂な現場の実態では、トイレの改善までを考える問題意識は持てないでしょう。経営が苦しくなった山小屋の状態がますます悪化することは、富士山そのものの環境被害が拡大して、世界文化遺産にそぐわないものになっていくことを意味しています。

例えば、山小屋は宿泊客数が3分の1に急激に減ったら宿泊費を3倍にできるでしょうか。登山道での混雑はある程度解消すると思いますが、その価格に見合った施設であるとは思えません。そうなると、登山者は来なくなってしまい、結局、ジリ貧状態になります。

山小屋の改善を議論する前提となるのは、山小屋の宿泊状況の実態把握です。実際、1日どれくらい宿泊客がいるのか、日ごと、月ごとに、それがどのように変動していくのかなど、実態調査は欠かせません。これからも富士山が世界文化遺産にふさわしい自然環境を保ち続け、素晴らしい景勝地であり続けるためには、あらゆる施設、場所に対して、きめ細かなサポート・ケアが必要です。それができていない今、登山鉄道計画の実現などと寝言を言っている暇はありません。他の未解決問題が山積みになって放置されています。

5　噴火対応など危機管理戦略の未熟性

これまでに富士山の噴火のリスクや海外に学ぶ、その情報提供の方法、リスクマネジメントについて述べてきました。

２０２１年の内閣府・富士山火山防災対策協議会によるハザードマップの改定により、富士山噴火の想定被害が拡大されました。イコモスに勧告されるまでもなく、危機管理は最重要課題です。しかし、富士山登山鉄道における災害対策は脆弱です。入山料の使い道においても、山梨県は避難シェルター設置や入山規制のゲート設置費用に使用するとしていますが、シェルターは、2014年に噴火して多数の死傷者を出した、御嶽山に整備された施設に倣って計画しているといいます（2024年3月30日配信『アエラドット』）。

　御嶽山をモデルにすること自体、富士山の実態を踏まえない、方向違いの対応と言わざるを得ません。御嶽山の噴火は水蒸気噴火であり、突然爆発したものです。富士山のこれまでの噴火は、マグマ噴火です。最初の現象として、地震が発生します。いきなり噴火することはありません。富士山周辺で火山性微動や噴煙、火山から放出される噴気温度の上昇などが見られると噴火警報が出され、富士山周辺に立ち入ることができなくなります。

　シェルターがどういう以前に、入山規制がかかるわけですから、シェルターの必要性は低いです。富士山登山鉄道を敷設すると想定している富士スバルラインは、溶岩流が2時間以内に到達する範囲であり、噴火が実際に起きる範囲に全部が収まっています。

　シェルターについては、詳しく触れておらず、その場しのぎの思い付きレベルの根拠なき計画

富士宮本宮浅間大社境内に置かれる火山弾。1707年の「宝永の大噴火」で飛んできたもので、重さ100キログラム

といえます。偽りに満ちた富士山登山鉄道計画の実像・実態を表しています。

富士山において危機管理が重要とされる災害は噴火だけではありません。雪害、風害、岩石の崩落と多様です。特に警戒が必要なのは、春先のスラッシュ雪崩です。土砂を巻き込む大規模なスラッシュ雪崩は、これまでにも大きな被害を出してきました。

2024年4月9日に起きたスラッシュ雪崩により、富士スバルライン四合目の大沢駐車場手前のカーブに大量の雪崩が流れ込みました。約80メートルにわたって道路は閉鎖されました。その雪崩の威力は凄まじく、付近に設置された落石ネットを破損し、土砂や雪が駐車場に流れ込むのを防ぐ導流堤が6基のうち3基も破壊されました（朝日新聞4月19日配信記事より）。たまたま天候不良により富士スバルラインが通行止めだったからよかったものの、四合目まで通行止めが解除されていた時期だったら、あわや大惨事の事態でした。

何度も言いますが、こんな危険な事態が多発しているのに、富士スバルラインに富士山登山鉄道を建設しようという計画は危険すぎて、現実性はありません。地元で富士山登山鉄道に反対されている富士吉田市の堀内茂市長は、記者会見で「（冬季の列車走行は）富士山の現実を知らない人が雲の上で描いた、絵に描いた餅だ」と語りました。

富士スバルラインを雪崩から保護するために建設されたトンネルまでを破壊してしまうスラッシュ雪崩のパワーは絶大です。このような災害に対して、富士山鉄道計画は抜本的な対策を示していません。

おそらく、想定外の災害発生が予測されることから、具体的な安全対策を提示することができないのだと思います。山梨県知事と鉄道構想の検討会の委員は、とんでもない自然のパワーで襲ってくる計り知れない悲劇の事故を想定して、堀内富士吉田市長が主張するように、被害現場に出かけて、その厳しい現場を自分の目で把握する必要があります。

6　開発の制御システムが必要

再三述べてきているように、富士山登山鉄道は絶対に「中止」にすべき開発です。建造物などの規模や場所に関して、富士山の神聖さや美しさと調和した、より厳格な開発制御をイコモスから勧告されています。

イコモスから求められる以前に、実際問題として、赤色の富士山登山鉄道が富士山の美しい景観と調和すると思いますか。イメージ映像で提示された赤色の車両が、富士山の山肌を切り裂いて走行することを想定するだけでも、強い違和感を感じます。

ちなみに、イコモスから指摘されているのは、富士河口湖周辺のホテルの高さや派手な色彩が、富士山の景観にはそぐわないということですが、いまだ何の改善もされず、景観条例も制定されていません。

第1章で述べた、イギリスの湖水地方などでの環境保全・景観保全への覚悟、規制のあり方な山梨県は富士山登山鉄道建設により「観光〝遅〟進県」として、さらに日本が「観光〝遅〟進国」として世界に恥をさらすことになりかねません。このままの無策では、などを真剣に学んでいただきたいです。

富士山を切り裂く富士スバルライン。
この上に登山鉄道を通すという無謀な計画が

第4章

「富士山登山鉄道」はなぜ必要ないのか

渡辺豊博

批判を無視して暴走、破滅に至った「富士山双子山開発計画」

富士山登山鉄道計画に関しては、事業内容があまりにも稚拙です。しかも、第3章で述べている富士山が抱えている問題については、何ひとつ解決できていません。

第1章で述べた内容に習い、世界の観光の最前線を学んでから、そして第3章の問題を解決してから出直してきなさい、と一言で済ませられるレベルの話ではあるのですが、そんなとんでもない計画が通ってしまうことがあるのが、日本の怖さであり、現時点（2024年6月）で論じられる範囲でその問題点を書いてみます。

その前に登山鉄道に限らず、富士山の開発に関わる上において教訓にするべき事例があるので紹介します。

過去に静岡県御殿場市のスキー場開発「富士山双子山開発計画」というものがありました。富士山御殿場口五合目の双子山、宝永山一帯に周遊道やスキー場などのレジャー施設を建設する壮大な計画でした（スキー場にリフト建設、双子山から宝永山まで地下ケーブルを設置。地下水涵養のための人工地下水収水装置の建設。国民宿舎の建設。富士自動車道路の建設など）。1972年に

激しい雪崩はスキー場のリフトなども破壊した

御殿場市が打ち出した計画に、当然「神聖な富士山をこんな大規模開発にさらしてはいけない」と反対運動が盛り上がりました。

地質的にも雪崩や地滑りの危険性が指摘される場所で、とくに双子山スキー塔リフト建設問題については、「雪崩・突風・落雷の危険性」が、専門家らから再三にわたり「指摘・警告」されていました。しかし、御殿場市は静岡大学の学術調査の報告書が出る前にスキーリフトの建設工事を進め、スキー場の営業を開始してしまいました。

営業を開始すると、雪が少ない年はスキー客がほとんど訪れず、建設費用の借金返済もままなりませんでした。そして1981年春には懸念が現実化しました。悪天候が大雪崩を誘発し、リフトや駐車場を直撃して破壊してしまいました。ここに至っても、御殿場市は反対を押し切り、スキー場を再建・再開します。

その後も雪崩や土砂流災害に数回襲われますが、最終的には1990年の大雪崩発生でリフトなどの諸施設が壊滅的な被害を受け、撤退せざるを得なくなりました。「富士山双子山開発計画」は税金が無駄に使われ、賛否を闘わせる多くの時間が費やされた「負の公共施設」、さらにひどいことに「自然破壊を誘発する禍根の公共施設」になってしまいました。

このような悲劇的な結果を生み出した原因はいったい何だったのでしょうか。御殿場市が自分たちの判断や正当性を過信して、NPOや専門家の助言や警告を聞き入れない「情報閉鎖型・行政独断型」の施策を遂行したことと、「視野の狭い行政意識」に起因したものと考えられます。当時の自然保護団体の指摘や懸念を、御殿場市は謙虚に聞き入れ改善すべき点は改善して事業を実施するか、あるいは事業を休止、廃止していれば、こんな愚行・無駄は避けられたのです。

双子山リフトへの大雪崩は、行政のおごりと閉鎖性が招いた悲劇の結末であり、結果的には富士山を傷つけ、その環境悪化をさらに誘発・加速する大きな要因になってしまいました。双子山では今も真っ平らな平原にリフトの一部のコンクリートがひっくり返ったまま放置されています。スキー場の開発と雪崩被害の正確な因果関係は定かではありませんが、結果的には富士山に大きな傷跡をもたらしたことは確かです。双子山では、貴重な原生林が失われ、広大な範囲で裸地化しています。山肌に大きな禍根を残してしまったのです。

この自然破壊の現場を人工的に再生するには、膨大な資金と時間が必要とされ、恐らく再生することはできません。行政の無知と暴走がもたらした自然破壊の厳しい現実は、行政の失敗・瑕疵であり、負担や悪影響が後世に大きくのしかかるという意味においても、その責任には重いものがあります。

富士山登山鉄道を進める行政の無知、トップの暴走に意見やストップができない上意下達のしくみは、「双子山リフトの悲劇」から30年以上たった今もあまり変わっていません。

富士山登山鉄道計画では構想を発表する前において、一度も住民説明がなされていません。構想を明らかにした後も、開発の意味や目的が住民のためのものなのか、一部の観光業者のためのものなのか、周辺住民に対して明確な説明がなされていません。

もっというと、日本の宝として、国立公園の特別保護区を含み文化庁の特別名勝にも指定されている富士山は、古来、信仰の対象として崇められてきた「心の山」です。日本人全員が納得のいくまで、徹底的な議論と検討、時間をかけた説明が必要とされていますが、それらへの対応が余りにも不十分です。

今こそ、世界文化遺産に指定された「世界の宝」である富士山を開発するに当たり「富士山登山鉄道計画がなぜ必要なのか、開発の全貌はどんなものなのか、開発による自然環境への影響・被害は大丈夫なのか、世界遺産登録の目的である開発の抑止に反していないのか」などを世界中に発信し、世界的な範囲での合意形成に取り組む必要があります。

世界・日本の宝に手を付ける開発行為を合意形成のプロセスをないがしろに強引に進めるとしたら、富士山を冒瀆する行政の暴挙であり、神の山に唾を吐く恥ずべき行為です。

そこで、読者の皆さんに、富士山登山鉄道計画について、しっかりと考えていただくために、私が考える問題点を列記します。

1 計画を進めるうえでの合意形成・情報公開・情報共有のプロセスの稚拙性、世界・日本の宝を無視した狭小性

「信仰の山」を守ってきた神社の宮司が登山鉄道計画に猛反対

公共性の高い事業を進めるうえでもっとも重要な点は、地域住民や利害者、各方面の関係者と

の合意形成のプロセスと議論の中での情報公開・情報共有です。山梨県が主体となって進めている今回の富士山登山鉄道計画において、その前提条件が遂行されていない、まったくできていないことを示す象徴的な出来事がありました。

2023年12月4日、山梨県や静岡県などがつくる、富士山世界文化遺産協議会の作業部会で、世界遺産の構成資産となっている神社関係者が強く異議を唱えたのです。

富士浅間大社の石橋良弘宮司は「富士山は信仰の山だという前提で言うと『冬の富士山には人は入らない』ことを慎重に検討してもらいたい」と語り、富士山登山鉄道計画の通年計画を批判しました。

また、北口本宮冨士浅間大社の上文司厚宮司は、富士山にはもともと禁足地とされる修験の場所や富士講のために夏山が開かれていった経緯があり、夏の開山期間は入山が許容されているという認識だと説明しています。上文司宮司は「何のための夏の開山と（それ以外の）閉山なのか意味をなさない。計画自体、神社としては反対だ。くれぐれも神の怒りに触れないように」と語ったそうです。上文司宮司は、登山鉄道計画に対して、富士山山体での大規模な工事に伴う被害の危険性からも反対を訴えました（いずれも山梨県の地元紙「山梨日日新聞」2023年12月5日版による）。

これは、まさに富士山の本質性に反する富士山登山鉄道計画の問題を端的にとらえており、傾聴に値する発言であり、強く賛同します。この2人の宮司の発言は、山梨県知事と県のスタッフ、鉄道計画検討委員会のメンバーらの計画を進める合意形成の稚拙性、富士山に対する無知を明らかにした出来事でした。

信仰の山、富士山でその信仰を守り続けてきた神社の役割、重要性を認識していたら、登山鉄道計画をスタートさせる前に、最初にお会いして詳細な説明を行い、同意を取り付けておくのが礼儀であり、対応の常識だと思います。

神社側の側面で見ると、もう一つ重要な意味があります。この両神社の本宮である富士山本宮浅間大社は、富士山頂八合目以上の土地所有者です。北口本宮冨士浅間大社は、現在、富士山の裾野から登る登山道の入口に社を構えています。また、富士山の頂上周辺を所有する地主さんであり、登山鉄道計画で大きな影響を受ける当事者でもあります。

本来はこの計画策定の基本計画段階において、事前協議を行い神社側の基本的な考え方を十分に理解・尊重したうえでその意向を踏まえて、反対なら計画を実施すべきではありません。「神の山」の管理者であり土地所有者である当事者の意向を打診せず、いち関係者のごときの失礼な扱いで対応する山梨県や山梨県知事の姿勢は、他人に物事をお願いする立場・態度としても、不遜・不適切だと思います。

住民や関係者との合意形成に関しては、第1章で述べているように、海外の世界遺産ではパートナーシップを前提にして、住民への説明と合意形成を丁寧に行っています。トンガリロ国立公園では環境を保全するためのアクションプラン「包括的管理基本計画」を10年計画で作成します。次の10年に向けて、5年間かけて住民と話し合いをします。周辺の地域住民23万人全員の同意を得られないと、このアクションプランを改定することはできないのです。

同意が得られないアクションプランに、ロッジやスキー場の改装や開発計画が含まれていたとしたら、具体的にどうなるのか、そのロッジは営業停止になります。スキー場もオープンすることはできません。パートナーシップの仕組みのもと、それほど厳しく、市民一人ひとりと議論・検討を繰り返して、どうやったらトンガリロ国立公園を守れるのか、どんな観光振興策があるのかなどを、膝詰めで話し合っていくのです。これに5年ぐらいかかります。

その過程において、お互い同士の利害や都合がわかり、共有意識が生まれ、共存共栄の仕組みと方向性が見えてくるのです。このくらいの手間と時間をかけないと、貴重な自然を的確に守るルートづくりと共有意識の醸成は成立しません。まさに世界の観光の趨勢は、原生の自然に戻すこと、原生の自然を守ることとです。

これからの社会では、行政と企業が情報閉鎖して、自分たちに都合のいいものだけを情報公開し、物事を恣意的に一定方向に誘導しようとするやり方は通用しません。真摯に胸襟を開いて、周囲と一体化して方向性を決めていくことが求められています。行政や企業の利害や思惑だけでは、後日、大きな失敗と禍根を残すことになるので、広い知の結集が求められています。

鉄道構想検討会に富士山の現場をわかっているメンバーを入れるべき

今までのやり方は民主的な手続きからほど遠く、後日、世界の物笑いの種になる可能性があります。肝心な総事業費についても、2024年3月12日に開催された富士山登山鉄道構想推進の専門家検討会で、当初1400億円と想定していた総事業費については、金額が提示できない事態に陥っています。理由としては、昨今の物価上昇による建設コストの拡大と五合目での大規模開発などの周辺事業が追加されたことにより、検討すべき事項・要素が増えたためです。こんな情けない有様では、この計画は、まだ、議論する土台・土俵にも上がっていない、信頼性・信憑性の低い事業だと言わざるを得ません。

私は、静岡県庁で35年間働いてきましたが、反対論も多かった富士山静岡空港の建設に携わった主要担当者の1人であり、当時は生活生業対策や新規の農地開発事業を計画実施する担当でした。富士山静岡空港は、計画から開港まで23年間かかりましたが、私はそのうち5年間在籍していました。反対派と文字通り膝詰めで話し合いを行いました。

計画は進めましたが、反対派の言いたいことは十分に聞いて、彼らが不利益を被ることがないように努力しました。信頼関係を築いた私に人事異動の話が出たときは、反対派から静岡県知事に対して、渡辺を異動させないでほしいと要望が出たくらいでした。

そんな私から見て、今回の富士山登山鉄道計画においての地域住民や関係者との話し合いのやり方は稚拙ですし、関係機関との事前調整を行った事実は確認されていません。今年度も、調査費の予算を山梨県は計上してはいますが、こんなやりたい放題のやり方で実現できるのか、今後いくら予算がかかるのかなど、疑問は山積みです。

さらに、物笑いの種になるのは、世界的な観光の潮流を、山梨県もそれを後押しする国の政治家も官僚もわかっていないことです。山梨県の富士山登山鉄道構想検討会構成員のメンバーを見ると、富士山の現場の実態を肌で感じ、つぶさに現場を見て熟知している専門家は少ないと思います。地域の事情をよく知っている環境保全の専門家もいません。細分化された専門分野を得意とする専門家はいると思いますが、多様な問題を複合的・横断的・重層的に検証しないと、富士山の現状は正確に把握することはできません。その理由は、第3章で述べております。

とにかく、これほど体制が脆弱な状態では、登山鉄道計画に関して、今後さらに、NPO・住民・行政・企業・専門家・関係団体との真摯な議論・検討を積み重ねて、お互い同士が納得のいく計画をつくり上げていくことは不可能だと思います。しかし、山梨県には、そんな時間と手間がかかる、面倒な対応をする考えはないと思います。

2 ずさんな計画・冬の危険性を無視する無謀性と採算の不確実性

山梨県の担当職員は登山鉄道計画は危険で不必要な事業だと承知しているかも？

登山鉄道計画では、通年営業により、年間300万人の乗客数を想定し、運賃を往復1万円に設定しています。信仰の山という富士山の本質性に鑑みて、神社から批判された通年営業ですが、ほかにも大きな問題を抱えています。富士山の自然の怖さや破壊力を知っている人なら、この登山鉄道計画が、いかに無謀な計画なのかがわかると思います。

私は、1998年当時、富士山にバイオトイレを設置するプロジェクトを立ち上げ、実行しました。その際、冬でもトイレが機能するかどうか、厳冬の富士山の気候状況を調査研究しました。冬場の頂上は最大風速50メートル（秒速・以下同）を超えます。五合目でも風速20メートル超です。「富士山では風が舞う」という言い方をしますが、周りに何もない単独峰ですから風速30メートルくらいだった風が瞬時に50メートルぐらいの強風に変化することもあります。冬山登山中に吹き飛ばされた人もいます。その威力はすさまじいものです。

冬季は五合目でも最低気温がマイナス15度くらいです。これで勾配8％、急カーブも多い富士スバルラインを電車で登って降りる計画です。凍結やスリップ、災害発生などを考えただけでも死亡事故に直結する可能性があり、身の毛がよだつ思いです。

さらに危険なのは、少し気温が上がってきたら発生する春先の「スラッシュ雪崩」です。スラッシュ雪崩とは積もった雪が気温の上昇や雨の影響で、土砂を巻き込み一気に流れ落ちるものです。富士山登山鉄道構想検討会の構想案にも、富士スバルラインの四合目から五合目までは「スラッシュ雪崩」の危険地帯・頻発地帯だと書かれています。

富士スバルラインは、現状でも、冬は閉鎖されています。行けても二合目や四合目までです。どうして、ＬＲＴ（軽量軌道交通：Light Rail Transit の略）の鉄道なら五合目まで行けるのでしょうか。「スラッシュ雪崩」から人命を守るために避難用トンネルがある場所がありますが、万全とはいえません。

鉄道を通年で営業する前提で、乗客数を試算していますが、担当の山梨県職員も怖くて震えているのではないでしょうか。皆さんもネットで「スラッシュ雪崩・スバルライン」と検索していただくとすぐにわかりますが、富士スバルラインは頻繁に通行止めになっています。２０２１年には橋が損傷し1カ月以上も通行止めになり、２０２４年4月9日のスラッシュ雪崩による大量土砂により、富士スバルラインは四合目付近が通行止めになりました。

採算性に関しては、通年営業により年間３００万人が乗って、1万円の運賃で成立するとの計算がなされています。本当に年間３００万人も富士山に来るのでしょうか。冬から春にかけて、登山電車が止まったらどうなるのでしょうか。故障したら？　売り上げは激減します。もともと8月末に山小屋は閉めますから来訪者は減少します。凍結する極寒の気象条件の中で、どうやって安全性を確保して走行するつもりなのでしょうか。

9月から雪が降り始めます。五合目の土産物屋さんだって通勤には危険があるので、10月ごろに閉めてしまいます。春先の3月・4月はスラッシュ雪崩が多発します。半年間、電車が動かせない可能性があります。その中で登山鉄道の安全・保安対策に莫大な資金を要することを考えれば、確実に採算が取れる保障はないと考えています。

冬に危険を冒してまでも、何もない五合目に行くために誰が登山鉄道に乗るのでしょうか。基本的に乗客が増えなければ利益は確保できません。逆に、山梨県側では、今年から1日4000人以内しか登山できず、さらに通行料2000円を徴収するという入山規制が始まりました。

これでは、制限を受けて、山小屋や五合目の土産物屋などは今までより収入減になります。山梨県は、五合目での大規模開発を計画していますが、ホテルやレストランなどの観光業者が参入してきたら、地元の業者は淘汰されてしまい、これまでの業者は経営が苦しくなります。山梨県側の利害関係者は、厳しい競争原理を理解しているのでしょうか。

そもそも登山電車を雪崩が飲み込んで、多数の乗客が死傷したら、その事故により、この登山鉄道事業の危険度が問題になり、鉄道事業の認可は抹消されると思います。

最近は8月以降、夏でも土砂流・雪崩が発生しています。原因は、地球温暖化で永久凍土が溶け始めているからです。以前は、標高3200メートル付近以上は永久凍土だったのですが、溶け続け、今では頂上付近でも凍土の確認が難しい地点が増えました。

雨や雪解けにより地面に水が供給されても凍っているため、表面を水が流れていくだけでしたが、永久凍土自身が溶けているので、土と混じりあって大量の土砂が地面を深くえぐりながら流れ落ちていきます。それでもどこに安全だと断言できる根拠・担保があるのか私には理解できません。

今まで、冬と春が危険だったのが、最近は、夏も危険になっています。

避難用のシェルターやトンネルごと、雪崩に持っていかれる危険性がありますが、それでも安全性を担保できるといえるのでしょうか。スラッシュ雪崩に負けない強固なシェルターやトンネル、防護壁を建設するには、莫大な工事費が必要になります。皮肉なことに、その建設工事により周辺の土地の掘削が行われ、富士山に環境被害が発生します。

このような富士山の気候や地質的な特性を考えれば、登山鉄道の通年営業は不可能です。通年営業を前提とする採算性は、市民に対してより確実性の高い説明が必要とされます。

通年営業ができたとしても、富士山に観光客が来ないと採算は取れません。２０１３年の世界文化遺産ブームが起きて、富士吉田ルート、須走(すばしり)ルート、御殿場ルート、富士宮ルート合わせてピーク時には年間約32万人が富士山に登りました。世界文化遺産効果が落ちついてきて、コロナ前の２０１９年には約23・５万人まで減っています。コロナが落ち着いた２０２３年は、環境省の調査結果によると、約22・１万人と回復していません。

私が長年、富士山の環境保全活動を続けてきた経験上、年間の登山者数は20万人ぐらいがちょうどいい数字であり、それくらいの登山者数が、危険と安全の境目だと思います。

コロナ禍が収束した今でも、五合目までみんなが車で登ってきて、そこから山頂を目指すという「一点集中型観光」を続けても、観光客や登山客の急激な増加は望めないと思います。富士山の魅力が低下し、五合目を含めて、富士山観光への興味が低下し始めていると考えられます。世界文化遺産ブランドだけでは、長くお客さんを集客できません。

本来の富士山観光の目玉・売りは、五合目以下に広がる富士山の豊かな自然環境や世界文化遺産の魅力を堪能するための観光ルートにあります。新たな観光ルートを発掘・整備することが、日本人だけでなく、世界の観光客にアピールできる新たな観光資源になります。その取り組みは、登山鉄道計画の実現とは方向性を異にするソフト事業だといえます。詳しくは、第7章で述べます。

富士山登山鉄道計画は、富士山の生かし方、活用策として、まったく異質の方向に進んでいる、間違った施策にしか思えません。

登山者数の把握もできていないのに富士山登山鉄道の収支試算ができるのか？

イコモスとは国際記念物遺跡会議であり、ユネスコの諮問機関・専門的調査機関として、世界文化遺産登録の審査、モニタリング活動を行っている国際組織です。富士山が世界遺産に登録された際に、多くの解決すべき宿題を日本は課されました。

しかし、そのうちのどれ一つとして、真摯に誠実に対応していません。そのことは第3章で述べましたが、ここでは、富士山登山鉄道計画に深くかかわる登山者数の実態把握についての問題を指摘します。

適正な登山者数の実態把握については、イコモスにその必要性を指摘された後も、まったく対応できていません。環境省や山梨県、静岡県が、八合目以上の登山者数や五合目の来訪者数を公表していますが、現場の正確な実態把握ができているものなのか疑問です。登山者数の調査方法は、主に環境省が登山道につけているレーザーセンサーのカウンターで行っており、その場所を人が通ると感知する仕組みです。

環境省のホームページにある1日あたりの調査数の一覧表を見れば、欠損が多く計測できていない日が多いことがわかります。機械ですから、雨風、みぞれ、雷などで故障して動かないことが多くあります。これでは正確な登山者数の把握はできません。

五合目への来訪者数の把握についても同様です。山梨県側のスバルラインも静岡県側のスカイラインも有料道路ですから、料金所においてバスやタクシーなどの台数は把握しています。ただし、あくまでも把握できるのは台数で、中に何人乗っているかは概数です。

富士山登山鉄道が厳密な収支試算を出すなら、その前提として、厳密な来訪者数の把握を行わなければなりません。そのためには、海外の国立公園などでやっている、登山者一人ひとりに対してGPS機能が付いた「登山者カード」を渡して、それぞれを電子情報として把握・管理する。そのカード1枚により、山小屋とも登山者の情報を共有する。そうすると災害やケガ、道に迷った場合など、非常時の救出・対応が速やかに行えます。

そのような登山者行動把握システムが整っていると、登山者の数、性別、国籍、年齢、利用頻度、滞在時間、天候による行動把握、平日・休日別での行動把握などのデータが蓄積できます。世界各国にある世界遺産地区では多くが取り入れている登山者の管理・監視システムです。それは登山者の安全性の確保、人数把握による混雑対応などに役立ちます。登山者の利便性と安全性、管理性を確保できることにつながるものなのです。

それらは観光客の招致戦略にも生きるデータになるでしょう。

山梨県もいきなり入山規制を行うのではなく、まずは、この登山者カード導入による実証実験をやってみたらどうでしょうか。今までのように非常に不安定で信頼性の低いカウンターでデータを把握しても、統計的な分析の指標としては当てになりません。

五合目の土産物屋さんや山小屋でその登山者カードを提示してもらえば、どんな属性を持つ人が来て、何を注文するのか把握できます。正確な来訪者管理の仕組み、言い換えれば顧客情報の把握は商売上の基礎情報として必要です。安全管理という意味では、その対応は急がなくてはならないわけですが、富士山はもちろん、日本の国立公園や世界遺産地区では、登山者カードでの管理システムは導入されていません。

富士山登山鉄道という巨額を投じる開発を計画する中で、登山者数の予測が正確に行えない現状では、入山規制や総量規制の明確な根拠はないと言わざるを得ません。

3 LRT鉄道でなければならない根拠も薄い

富士山登山鉄道構想検討会が作成した「富士山登山鉄道構想（案）」（以下「構想案」）を読んで

も、富士スバルラインに鉄道（ＬＲＴ）を敷設しなければならない根拠が見えてきません。

CO_2排出量を減らすためには、電車しかないということで「構想案」では、ＬＲＴか他の鉄道やケーブルカー、ロープウェーとの比較検討を試みて、ＬＲＴの優位性を謳っていますが、恣意的なものにしか見えません。

CO_2削減をするのであれば、五合目までの乗り入れを電気バスに限定すればいいだけのことです。山梨県知事は、道路法や道路交通法上、観光バスやタクシーの制限はできないとしていますが、法律の修正や交通事業者との話し合いで合意点を見つけることは可能でしょう。あるいは、政府と交渉して、富士山対応の新たな法律を制定する議論をすればいいだけで難しいとは思えません。時代の趨勢は、すべてにおいてCO_2排出削減の方向に向かっているのですから、それに沿った対応・政策が求められています。

バス会社やタクシー会社も、富士山への乗り入れについては、富士山を守るために行政から電気バスと電気自動車に限定してほしいと要請があり、それなりの補助金制度が用意されたとしたら、応えないはずはありません。それに反対するような会社があったら、世の中から時代遅れの利益優先の会社だとみなされ、イメージ悪化が拡大します。

ところで、登山鉄道構想案を、利用する側から考えてみたらどうでしょう。登山鉄道の料金は往復1万円です。現在、東京の新宿駅から富士山五合目までの深夜バスの料金は、片道３５００円程度ですみます。

一方、登山鉄道が開通して、五合目までのバスが廃止になったとしますと、新宿駅から富士山駅までJRの特急を利用すると片道約4000円必要です。そこから往復で1万円負担して、富士山登山鉄道に乗るわけです。東京から乗り継ぎで登山鉄道利用だと1万8000円です。若いサラリーマンや学生など一般の富士山好きの人を切り捨てようとしているとしか思えません。

挙句の果ては、山梨県民だけ運賃はタダだとか言っています。公共料金の公平性について、何だと思っているのでしょうか。山梨県知事の見識や知性を疑うしかないのですが、いろいろ書いていくと、この登山鉄道計画が、次第に壮大な冗談・嘘・悪夢ではないかと思えてきます。

4　富士山測候所に送っている電気が使えるので電気開発の必要はない

富士山登山鉄道計画では、五合目以上に電気が通っていないのは不便なので、電車の軌道整備に合わせて電気や下水道などのライフラインを整備する必要があると記しています。

現在、山小屋や五合目の建物の電気は、自家発電でまかなっています。この発電機は、ものすごい量の排気ガスを出します。富士山には、ブルドーザー道があって必要な物資を運搬するためにブルドーザーが頂上まで行っていますが、その多くは自家発電のための重油をドラム缶に入れて運んでいます。

山小屋の自家発電機に重油を入れると、黒い煙を大量に排出しますので、山小屋に泊まって寝ているとと部屋に煙が入ってきて、臭くて耐えられないときがあります。これをほとんどの山小屋でやっているわけですから、環境にいいはずはありません。この環境被害の状況は早く改善しなくてはなりません。

しかし、鉄道と一緒に新たに電気を通す工事は必要ありません。実は、気象観測や天体観測の他に、地球規模の環境問題の研究を行っている「富士山測候所」のために、富士山の地中に電気ケーブルが埋設されているのです。御殿場ルートの駐車場当たりから、ケーブルを地下に埋めて山頂まで送電しています。これまでも、その電気を浅間神社奥宮や環境省のトイレで利用しています。2014年7月からはケーブルを途中で分岐し、須走口五合目の駐車場や一部のトイレに送電を開始しています。

富士山測候所では、この電気を私が顧問を務める認定NPO法人「富士山測候所を活用する会」が管理していますが、この電気を他の富士山の施設に広く供給すれば、新たな大規模工事は必要ありません。自家発電もなくなり、環境の保全に貢献できます。それは、技術的に可能です。NPO法人には、そんな莫大な資金がありませんので対応・改善することはできません。国や県が、環境対策の一環として、電気回線を導入すると言えば、山小屋などの富士山関係者は喜びます。電気が安定的に供給されれば、夜の間もバイオトイレを稼動させることができて、安全な衛生環境が構築できます。

お金がかかると言っても、富士山登山鉄道を通す予算を考えたらほんのわずかな予算でできます。

富士山登山鉄道構想検討会は、こういうことを知らないのか知っていてわざと無視しているのかわかりませんが、富士山の頂上まで実は電気は通っているのです。わざわざ登山鉄道の下に電気を通す必要はありません。

頂上まで電気が通っていないのは不便だから、鉄道をつくるついでに電気を通すという論理はごまかしにすぎません。本当に不便を解消したいのなら、今すぐ予算をつけて、富士山測候所の電気を広域的、多目的に活用できるように回線を整備すべきです。

自家発電の環境への負荷は大変大きく、世界文化遺産登録時に、改善すべき項目として指摘されています。この指摘事項も、登録から10年以上たっても一向に改善されていないのですから、私は登山鉄道計画などという無駄な議論に時間とお金を費やすのではなくて、そんな計画とは関係なく、今すぐに「電気問題」の改善に取り組むべきだと思います。

5　世界遺産登録の抹消を恐れない大規模開発

イコモスからの指摘事項として、開発の抑止や制御も改善すべき項目として指摘されています。建造物などの規模や場所に関して、富士山の神聖さ・美しさと調和した、より厳格な開発制御の方針と手法を示すように求められています。ホテルや観光施設の色彩や高さなどが、周囲の景観、自然と調和していないと指摘されているのです。

この指摘に反するように、富士登山鉄道計画の専門家検討会では、五合目での大規模開発を打ち出しています。世界文化遺産登録の抹消を恐れない、非常識な対応と言わざるを得ません。登山鉄道計画が、富士山が世界文化遺産に登録された目的である「開発の抑止」に、真っ向から背くものであることは明白です。

富士山の奇跡的な美しさと自然を守り、調和するような観光開発がなぜできないのでしょうか。そのあたりの意識があまりにも低すぎるのは、今に始まったことではありません。私が、富士河口湖で経験した花火に関わるエピソードを紹介します。

私は以前、富士河口湖観光協会のアドバイザーを務めていました。毎年、富士河口湖では大きな花火大会があり、観光の目玉になっています。湖の真ん中に台船をもっていって、そこから夏は花火を約1万発、冬は数千発も打ち上げるイベントです。花火大会は、夏の河口湖湖上祭は100年以上、冬の河口湖冬花火も20年以上続いています。富士河口湖周辺には20数件のホテルがありますが、ホテルから富士山をバックに花火が堪能できるので人気のイベントです。

湖のど真ん中に船をもっていって、そこから花火を打ち上げるわけです。ホテルから富士山をバックにして花火を見るには、その位置から打ち上げるのがいちばんいい。確かに、花火はきれいで感動的ですから観光客は喜びます。

しかし、ある年の冬花火の次の日の早朝、私が湖の周りを散歩していたら、驚くべきことに気がつきました。数十匹のブラックバスがお腹をパンパンに膨らませて、死んでいました。何が起きているのかと思い、当時教えていた都留文科大学の私のゼミ生たちとその日の夜に花火の打ち上げの最中に船を出して調べたんです。そうしたら花火を打ち上げるたびに、上からパラパラと大量の落下物が落ちてきました。

その落下物を集め、調べてみると、多くは段ボールの切れ端とか人工コルクでした。さらに、湖の底に溜まっていたヘドロ・堆積物を採取して専門家に分析してもらったら、硫黄の成分が検出されました。この花火の残骸は、湖底に堆積して水質汚染の原因にもなっていました。

実は、人工コルクは水中に落ちてくると、それを魚たちはエサだと勘違いして食べてしまいます。それらを消化できずにお腹を膨らませて、1回の花火で23匹も死んで湖岸に打ちあげられていたのです。

このように、湖上の花火による環境被害や生き物への悪影響は重要な社会問題です。湖の環境汚染の原因であるとともに、生き物にも悪影響を与えます。すぐに中止にする必要性を感じ、落下物である花火の残骸を網で拾い集め、湖の埠頭に置いて乾燥させ、その実態・現実をマスメディアに対して、初めて見ていただきました。

その後、湖上冬花火の代替案を提案させていただきました。湖の周りにある広場・駐車場と一体化させる形で、湖岸沿いに花火の打ち上げ場所を何カ所かつくり、そこから花火を打ち上げ、湖への花火の落下物を減らすように提案したのです。

すると、湖岸沿いの一部のホテルからは花火が見えなくなると反対の声が上がりました。

しかし、こんなことを続けていたら、富士山の自然と調和する観光振興どころの話ではありません。環境汚染と生物への悪影響が大きすぎますと説得しました。何回かホテル関係者や観光協会の幹部、漁協リーダーなどに対して、湖の汚染問題や魚への悪影響を説明して、代替案を理解してもらいました。

打ち上げ場所を湖岸沿いにしても、ほとんどのホテルから花火は見えますし、花火が見えなくなったホテルのお客さんは、外に出て花火を見ます。風が吹けば風向きによって、花火の残骸が一部湖に落ちますがわずかです。

当然、今も花火は湖岸沿いから打ち上げています。湖の水質も一部改善して、ワカサギも増えたと聞いています。結果的に地元の漁業組合は喜んでいると思います。これは、富士山が世界文化遺産に登録される前の話です。湖の自然を守る私たちの活動が、登録実現の一助になったかどうかはわかりませんが、後日、富士山が世界文化遺産に登録された時、富士河口湖も構成資産の一つに登録されました。

しかし、当時は、世界文化遺産登録に向けて、自然との調和のとれた景観や自然環境の保護をアピールしなければならない時に、花火で環境を汚していることにあきれました。富士山登山鉄道計画の内容を見ていると、富士山を観光振興のために開発・消費して、傷つけてもいいという開発優先の意向は続いています。登山鉄道計画は、実施を許してはいけない自然破壊の工事ですので、油断しないで絶対に中止させなくてはなりません。

6　鉄道開発は世界の観光の潮流に背く時代遅れの政策

世界の観光の潮流は「原生への回帰」です。昔からの純粋な原自然に戻すことです。世界各国においては、自然に戻した環境を維持するために懸命の努力をしています。強い法律的な規制・制限も必要になります。法律で規制すると観光地は不便になりますが、不便にすればするほど、美しい原自然が残されるので、観光客は来ます。

地域ごとの自然には、その土地の気候、風土に育まれた個性や特性があります。それはその地でしか見られない特有のものです。その貴重な自然を実際に見て、感じて、体験するために、国内外から観光客が集まってきます。感動すれば、当然、リピーターになります。四季折々の魅力も楽しみたいので、何度も訪れます。

それが世界の観光の潮流です。富士山登山鉄道や五合目開発のように、山を掘削したり森を削ったりしたら破壊・改変を誘発し、魅力は低下します。利便性を向上させたり、箱物をつくったりすることは、斬新性や感動が薄く、ワクワク感がなく、今や時代遅れです。

日本が、さらにインバウンド需要を増やして、本気で観光立国を目指すのなら、何度も書いてきましたが、大規模開発を伴う富士山登山鉄道計画なんて、今すぐにでも中止すべきです。ゴミだらけの森や、し尿垂れ流しの山小屋周辺をそのままに放置しているなら、富士山は一度行ったら二度と行きたくない、魅力減退の観光地になってしまいます。もうすでにそうなっているかもしれませんが、山梨県も静岡県も観光立県を目指すなら自然との共生に基づいた世界的レベルの観光の姿を、日本中に示すべきではないでしょうか。

7 災害リスクを想定外に扱う行政の欺瞞性

富士山鉄道計画が、子どもだましのレベルに過ぎないものであることを、わかりやすく示しているのが、噴火に対する「災害リスク」への対応です。

2021年に内閣府の富士山火山防災対策協議会が、富士山火山避難基本計画においてハザードマップを改定しました。最新の調査・研究に基づいて、被害規模をこれまでに比べかなり大規模なものに見直しています。その理由として「従前と比較して『より短時間で』『より遠くまで』噴火現象の影響が及ぶことが判明」したことを挙げています。

具体的に言うと、近年、新たに過去の噴火火口が発見されて（もしくは解釈が変更されて）記載されています。山梨県鳴沢村近辺の北天神火砕丘の火口や山梨県富士吉田市の雁ノ穴噴出物の火口です。静岡県側にも見つかっています。また、864年に発生した貞観の大噴火の溶岩総噴出量を7億立方メートルから13億立方メートルとほぼ倍に修正されています。

それに伴い想定される火口範囲が山梨県側にも静岡県側にも広がりました。大規模な想定火口範囲は、もともと山梨県側に大きく広がっていますが、溶岩流が最終的に到達する可能性がある範囲も、山梨県側は都留市、上野原市、神奈川県の相模原市、小田原市、南は富士市の太平洋岸一帯まで広がりました。

富士スバルライン、つまり富士山登山鉄道は、溶岩流が噴火後2時間で到達する範囲にすっぽり収まっています。もっと言うと二合目以上の富士山登山鉄道は、噴火する可能性のある危険区域に入っています。

政府も富士山噴火の災害規模に最大限の警戒をし、それがより大きなものになると予想しています。山梨県は政府が作成するハザードマップをどうして無視できるのでしょうか。山梨県はいつからそんなに権限が強くなったのか、元静岡県庁職員として信じられません。山梨県庁職員は、県知事からこんな無謀な鉄道計画を作らされてもその危険性を知っているので、本音ではなぜこんな馬鹿げたことを事業化しなくてはならないのかと、怒りに震えているのではないでしょうか。県知事に「改定されたハザードマップを見てください」「こんな危険な範囲に登山鉄道をつくれますか」と反撃する職員はいないのでしょうか。担当の県庁職員に「君たちには公僕としての良心はないのか？」と聞いてみたい思いでいっぱいです。

山梨県の富士山登山鉄道計画では、噴火対策についてこのようなことが書かれています。

「富士山において突発的に噴石を伴う火山噴火などに襲われた場合、鉄道関連施設では山麓および、五合目駅をＲＣ（鉄筋コンクリート）造などの堅牢な構造としたうえで、備蓄を行うことが求められる。中間駅にも噴石や落石などに対する強度を有する休憩施設などを設ける」（山梨県富士山登山鉄道構想検討会「富士山登山鉄道構想（案）」２０２１年２月）

噴火が起きても、対策がなされた駅や休憩施設があれば命は守れるかのような表現です。

富士山の記録に残っているもっとも古い噴火は、奈良時代の『続日本史』に記されている７８１年です。その後、平安時代には３度にわたって大きな噴火を繰り返し、なかでも８６４年の「貞観大噴火」は、のちの「宝永大噴火」と並んで史上最大・最悪の噴火とされています。平安時代以降は、１００～１５０年ごとに噴火が起きていたのですが、１７０７年の宝永大噴火を最後に、現在まで３００年以上もの間、不気味な沈黙が続いています。

最悪・最大規模の富士山の爆発のひとつである宝永大噴火の被害状況を見てみましょう。まず、噴火の前に宝永の大地震が6カ月前から伊豆を中心に発生しました。そして11月23日に大爆発しました。噴煙が最大で20キロメートルにも達し、50キロメートル離れた神奈川県の伊勢原市で30センチメートルの火山灰が降り積もったとされています。この噴火では溶岩流はありませんでしたが、富士山本宮境内に、当時飛んできた重さ１００キログラムの火山弾が置いてあるように、噴石、降灰による被害はすさまじいものでした。

火山災害は噴火の規模や影響範囲、継続時間に不確実性が大きいと先の「富士山火山避難基本計画」には書かれています。すべての災害パターンを網羅した避難計画を立案することは不可能だとも書かれています。しかし、これまでの噴火被害の歴史や最新科学を踏まえた、政府のハザードマップを前提・参考にした登山鉄道計画でなければなりません。

そう考えると、噴火があったら駅に逃げ込めばいいという富士山登山鉄道計画はあまりにも対策がずさんで非現実的です。噴火の前兆があったら、おそらく、富士山は立ち入り禁止になります。そして貞観噴火のように100キログラム前後の火山弾が降り注ぎ、政府の想定のように大規模な溶岩流が発生したら、登山鉄道の設備はすべて灰塵に帰します。1400億円が無駄になり、甚大な被害を被ることになります。

そのようなリスクのある場所に、鉄道という公共性の高い大規模なインフラ整備をすることは、国民の税金をドブに捨てるようなものですし、人命を危険にさらす愚行であることは、誰もが理解・納得できることだと思います。

8　鉄道開発は富士山の本質性に反する

第2章に述べたように、富士山信仰は富士山の大いなる自然に対する崇拝の心から生まれました。荒ぶる火山としての富士山に対する畏れが、そのような崇拝の心を生みました。

そして、その裏返しとして、偉大な富士山を前にして清く正しく生きる心、自然と共生するというような日本人のベーシックな意識が育ってきたのです。

富士山は、中世までは修行の山として修験者のみが登れる山でした。その後、江戸時代になり修験者であった長谷川角行が、室町時代末期から江戸にかけて活躍します。角行は、富士山は万物の根元で、この世と人間の生みの親である「元の父、母」がいる場所だとしました。即ち富士山が「根本神」であるという考え方を基にした宗教を開いたのです。神である富士山に登ることによって、人は助けられ生きていける。これが「富士講」の根本に当たる基本的な考え方です。

私は、登山鉄道計画の話が進んでいることに対して、「富士山は泣いている」のではないかと考えています。それはなぜか。富士山が、日本人の「根本神」「根本心」であるということ。もう一つは、富士山崇拝の根源に、自然との共生、エコロジーの中に生きてこそ、万物は救われるという考え方があるからです。

富士山の今後の観光化と地域振興を実現するために、安易に登山鉄道計画を持ち込み、富士山を削ったり傷つけたりする開発行為を行うことは、富士山の本質性に著しく反し、そぐわない行政の暴挙・愚行だといえます。

インタビュー

富士山にしかない「自然の魅力」

藤井正明
NPO法人「富士山エコネット」

溶岩と水が育てた「富士山の苔」

富士山は何といっても青木ヶ原樹海が魅力的ですね。樹海は富士山の北西部、標高900メートルくらいから1300メートルくらいまで広がっています。864年の貞観大噴火で流れ出た溶岩流の上にできた原生林という意味でも、富士山らしいまれな森です。ツガ、ヒノキ、アカマツ、モミといった針葉樹が中心ですが、ミズナラなどの広葉樹も生えている混合林です。

樹齢1200年くらいの比較的若い森ですが、ほかの森のように傷ついたり痛めつけられたりしていません。土砂崩れや山火事などもなく、すくすく木が育ってきたという印象があります。

富士山の山梨県側の五合目から樹海を見ると、色が種類や季節によって違って見えてきれいですね。緑一色ではありません。針葉樹のモミやツガ、ヒノキはちょっと青っぽい。ミズナラなどの落葉樹は春先になってだんだん芽が吹いてくると、葉っぱがついてきれいな薄緑色になってきます。

春になって森に入ると、においが違います。私は富士山エコネットという環境団体で環境ガイドをしています。小学生から高校生までの学生も学校単位で来ます。子どもは樹海の入口に入った瞬間に「いいにおい」とか「空気がおいしい」と言って、感性がすごいですね。

樹海はにおいの緑道です。それも木によって違いますね。ツガやモミの木はマツ科だから松脂みたいなにおいがします。

ガイドのときは火山独特の様相を説明します。溶岩台地は溶岩が固まって50センチの厚さを持っていること。その上に木が生えているから、根が深くまで伸びないこと。倒れないように根を横に長く伸ばして張っていることを説明すると、子どもたちは感心しますね。

富士山の溶岩は玄武岩でできていますが、ハワイのキラウエア火山などテレビで放送されている溶岩流も玄武岩なんだよ、と説明するとみんな驚きますね。その溶岩の上に木が育っていることに自然の不思議を感じていると思います。

富士山の自然と言えば、豊富な水に恵まれているのも特徴です。富士山は21億トンの水がめだと言われていますから。それなのに樹海には虫があまりいません。子どもたちも来ると必ず蚊よけのスプレーをしますが、「蚊はいないからそんなのいらないよ」と言うとびっくりしますね。

そこから何で蚊がいないの？　という問いが始まります。樹海には水たまりがありません。そうするとボウフラも発生しないよねと、やり取りしているうちに富士山の特性が具体的にわかってきます。溶岩は水を吸収してしまいますからね。

大人の方もこういう自然観察は楽しいと思います。

最近、苔が人気らしいですけど、青木ヶ原樹海は実は苔がすごいです。富士山ならではの、ほかにはない深く茂った深い苔です。子どもたちがそのコケを触って指を突っ込むと、人さし指が丸ごと入ってしまうくらいです。

この行為はガイドが付き添っている時だけの体験です。苔は貴重なものですから、普段は苔に踏み込んだり、持っていったりしないようにしてください。

苔というのは植物なのに根っこを持たない。溶岩の話をしましたね。玄武岩というのは気泡がたくさんあるんです。表面の気泡のガサガサしたところに苔がくっつくことができる。

青木ヶ原は穴だらけの玄武岩が多くてざらざらしているので苔が岩につきやすい。富士山は水が豊富とはいえ、穴のところが水を通して地下に流れてしまいます。しかし、苔が生えていると水を保ってくれます。苔は自分で生き延びると同時に、水を吸ってほかの植物にも与えるという役目をしています。アイスランドの火山のテレビ映像を見ましたけれども、やはり苔が最初に生えていましたね。

その苔が蓄えた水によってほかの植物も自生し成長して行ける。それを支えるのが、溶岩だった玄武岩と富士山の豊富な降水量です。富士山の持つ自然のパワーが樹海を作った、その原点を苔に見ることができます。

水分を蓄えている潤った感じは、見ていてわかります。雨の日なんかものすごくきれいですよ。雨の日と普通の晴れた日では森の雰囲気が全然違います。森が生き生きしている感じです。苔も水を吸って蓄えているときは、キラキラしています。苔だけではなく森全体の色も違います。それを知らないと雨の日はただ濡れて嫌だなと感じるだけなので、もったいないですね。

生き物というのは本当に知れば知るほど奥深いですね。樹海の植物はみんななかなか興味を持たれませんが、じっくり見てほしいなと思ってしまいます。

森林限界が広がっている山

ガイドがいないと入れませんが、コウモリ洞穴もみなさん感動します。

あれだけの大きさの洞穴が自然にできたものだということにまず驚かれます。お子さんなんかには「みんなディズニーに行くけども、あれはすべて人工的に作った森の中の洞窟だよね。これは自然にできた洞穴だよ」というと、表情が変わりますね。

奥行きが400メートルありますから。今は実際に入れるのは300メートルくらいまでです。照明が付いていますけど、真ん中あたりで照明が消えたらもう出てこられません。ふだん見たことのない完全な闇です。実際にはそうはならないですけど、こういった自然のスリリングさも感じることができます。

幅はだいたい3メートルぐらいで狭いです。高さは2～3メートルで、低いところは1メートルあるかないかです。

昨年11月中旬に生徒さんを案内したときは天井にコウモリがぶら下がっているところを見ることができました。すでに冬眠が始まっていたんです。静かにして刺激しないようにしながら、持っていた赤い光のヘッドランプで照らすときれいに見えました。

赤の光にコウモリは反応しないんです。

カラマツの木は水が少なくても育つことができますが、富士山の標高2400メートル地点で見ることができます。高山帯と亜高山帯の境目です。富士山の森林限界は現在、その2400メートルですが、限界点が少しずつ上がりつつあります。それはこのカラマツのおかげです。カラマツは砂礫でも十分育つことができる木なので、富士山のような火山でも生育可能なのです。

そんな過酷な条件の下で森が上へ上へと広がっていくことができる、それを進行形で見ることができるなんて、森が世界的に減っているこの時代にすごいことだと思います。

第5章

「富士山登山鉄道」開発の経緯と現計画の問題点

村串仁三郎

はじめに

富士山は、その美しい容姿と比較的登りやすいことで古くから日本人に親しまれ、日本を象徴する山であった。

近代に入っても富士山の人気は高まる一方であった。しかし人が集まれば、常軌を失う人による迷惑が生まれ、集まった人に向けて商いが営まれ、ときにはひと稼ぎしようとする野心家も現れる。そうしたことは今も昔も変わらない。

今日、富士山の人気は相変わらず高く、約2カ月の登山シーズンには数十万人が押し合いへし合い登山し、過密登山などといわれ、心ない登山者が富士山にゴミを放棄していき、過去にはし尿処理がうまくいかず、顰蹙を買ったこともあった。他方、富士山人気にあやかって富士山に鉄道を敷設してひと稼ぎしようとする計画も生まれる。

私は、長い間国立公園を研究してきたが、こうした現実を見るにつけ、これまで富士山ではどのような問題が起き、どう処理してきたかを振り返る必要性を感じた。そこには、富士山だけではなく、自然を破壊し続ける日本における問題解決の何か大きなヒントが隠されているのではないかと考える。

Ⅰ　富士山観光開発計画の歴史と自然保護

1　戦前の富士山の観光開発計画の歴史と自然保護

①江戸時代の富士山

富士山は、古くから文学、美術作品創作の対象であったが、江戸時代に入ってからは一般庶民の信仰登山の対象となり、仏教的な思想にもとづいて、身を清め苦行して富士山に登り、無病息災を神に祈るなどして、広く楽しまれてきた。

江戸時代の富士登山のシステムは、関東、東海一円で御師と呼ばれる仏教徒によって信仰登山のための富士講が各地に組織され、先達さんと呼ばれるリーダーに先導された登山者が、富士登山と周辺の観光を楽しむものであった。

富士講は、各地に講ごとにまとめられ、20～30人のグループをつくり、集団で登山をおこなうものであった。登山口には、各地の講に関連した御師が宿坊をもち、登山者はそこに宿泊し、登山前の神事をつかさどり、先達さんに先導されて登山した。ついでにいえば、富士登山には、登山だけでなく、しばしば精進落としと称して、宿坊や近辺の行楽地で特別に楽しむ行為も見られ、観光あるいは今日的な言い方をすればレジャー的要素もあった。

江戸時代の登山ルートは、甲州（山梨県）側の北口吉田口道、駿州（静岡県）側の山道、南口大宮口道（村山口、富士宮口の二つ）、東口の須走口道、須山口道が定着し、そこに宿坊街が形成され、江戸中期から大衆的な信仰登山として盛んになってきたといわれている。

江戸時代の富士山の参詣者数は、18世紀末から19世紀初頭には、甲州側と駿州側と、あわせて1年で2～3万人程度だったようである。

②明治期の富士山

明治維新後の富士登山は、廃仏希釈があって、仏教系の富士講が大きな打撃をこうむり、女人禁制、御師による宿泊所の独占がくずれて、信仰登山の側面が弱まり、信仰上の仕来りの少ない大衆的登山、それに相応した山小屋、ガイドなどの態勢ができあがっていった。

富士山周辺の近代化も徐々にすすんでいく中で、明治政府は、1912年（明治45年）に日本大博覧会の開催計画をたて、富士山を国立公園に指定して外国人観光客を招聘して経済の活性化をはかろうとした。

どこかで聞いたような話であるが、政府の方針を受けて、特に南麓の静岡県側とくらべて産業や交通が不利であった富士山の北麓の山梨県側では、富士山の観光開発計画があちこちでたてられた。富士山を国立公園に指定する運動や富士山に登山鉄道を建設する計画も提出された。しかし明治天皇が逝去されて日本大博覧会が中止されると、開発計画はしぼんでしまった。

それでも富士登山の大衆化が生み出す弊害も取り沙汰されて、当時の日本山岳会の重鎮小島烏水は、1909年7月の『読売新聞』と『山梨日日新聞』で、「富士山保護論」を主張し、富士山の観光開発による自然、風景の破壊、汚染に警告を発したことが注目された。烏水の富士山保護論は、すでに大衆化しつつあり、かつ過剰化しつつあった富士登山の根源的な問題を先駆的に鋭く指摘している。

③大正期の富士山

政府は、1916年（大正5年）9月に「経済調査会」をつうじて富士箱根を国立公園に指定し、外国人を招聘して外貨を稼ごうとする政策を提起していた。

他方、内務省は、翌年9月に山梨県の協力による「富士北麓林野ニ関スル調書」と題する報告書を提出した。この報告書は、当時国立公園運動を開始していた造園研究者（後に国立公園生みの親と尊敬されるようになる）田村剛と農科大学教授で林学博士の右田半四郎らによって作成されたものであった。

この報告書は、前書きと「第一　風景修飾上ノ原則」、「第二　富士北麓経営ニ関スル前提」、「第三　道路」、「第四　各種遊覧施設」、「第五　県有林ノ施業方針」からなっていて、富士山麓の観光開発計画を示し、富士山の国立公園指定を提言し、観光開発を認めつつも、富士山の学術的価値を指摘し、青木ヶ原の原生林保護と、五合目以上に自動車道、鉄道を建設することを否定するものであった。

この報告書は、山梨県知事の委嘱によって作成されたという形式をふみつつ、情況的にみれば、当時富士山の国立公園化が話題になり、観光開発論議が高まっている折に、内務省が、経済調査会の富士山国立公園化の提案を受けて、無計画的な乱開発を避けようとするものであった。富士山北麓とくに原始林一帯を保護し、自然保護を前提にした富士山北麓の観光開発計画の方向性を示すために、農商務省山林局の協力によって作成された。

この観光開発計画論は、当時としては自然保護を基盤に観光開発を進めようとする前向きの開発論であり、富士山開発史とわが国における最初の本格的な観光開発計画論であった。

他方、1918年（大正7年）9月に、山梨県知事山脇春樹は、「富士山麓開発に関する意見」を公表した。その論旨は、開発に際し自然保護を強調する先の報告書と違って、山梨県北麓近代化をめざし、資源開発を行い、大月――吉田間の馬車鉄道を電化し、自動車輸送の導入、富士登山だけでなく北麓に観光客を呼び、ホテル、別荘の建設を主張するものであった。

以後この「富士山麓開発に関する意見」の政策にしたがって北麓の開発が進展した。しかし山麓開発は、観光開発一点張りの政策と、開発に際しては自然保護に留意すべしという二つの勢力の争いのなかで進められていった。

富士山登山鉄道（ケーブルカー式）計画については、1921年（大正10年）、1923年に提出されたが、県当局によって不許可になった。

大正期に入ってからの富士登山は、明治末年より登山者が増加していた。1911年（明治44年）の吉田口からの登山者は、1万4000人であったと報じられているが、1914年に3万3000人、1919年に2万5000人であったといわれている。

④昭和前期（戦前）の富士山

山梨県は、1928年（昭和3年）に「岳麓景勝地開発計画」を策定し、将来林業施策として、第一に、四合目以上は雪崩土砂崩壊のためこの区域を禁伐林として保護すること、三合目以下を択伐地域とし、第二に「景勝地域計画」として、「景勝保存地域」と開発を認める地域を分けた。

富士山の開発において自然保護の上に行うという政策は、史跡名勝天然記念物（※）保存運動の高まりに影響されたものであった。ここには、富士山を開発規制して保護する姿勢が示されている。

1928年に馬返しから八合目までの「富士登山電車」の計画が申請されたが、許可されなかった。さらに吉田――五合目間のケーブル計画もあった。しかし計画案はその後不承認となった。

1935年に馬返しから頂上にいたるケーブルカー（地下道を伴う）建設計画が提起された。富士山の国立公園指定が具体化する中で、政府、国立公園関係や学会、観光業界、地元では、富士山の自然保護のため反対とする意見と、観光推進のために鉄道建設に賛成する意見が二つに分かれて激しい論争を繰り広げた。しかし内務省と鉄道省はこの計画を許可しなかった。

（※）富士山は1924年に史跡名勝天然記念物に指定され、1952年本指定された。

2　戦後の富士山の開発計画の歴史と自然保護

戦後になって富士山を巡る開発が盛んになった。

敗戦後まもなく1945年11月の山梨県議会では、「富士五合目まで、少なくとも自動車道路を開発し、更に五合目より頂上に至る『ケーブルカー』を建設する」という発言があったという。翌年11月に、鳴沢から頂上をめざすケーブルカー建設計画をめざす「富士登山索道株式会社」（資本金3000万円）が元県知事の本間利雄ら地元有志により設置された。

1947年には、根津嘉一郎、小林中ら山梨県出身の在京財界人らによる別の計画である、吉田――馬返し間（地上登山電車）、馬返し――山頂間（地下ケーブル）で建設費2億5000万円で鉄道を建設するという壮大な計画が立てられた。

この計画は、厚生省（当時）の「富士箱根公園地方委員会」で1948年にあっさり承認されたが、厚生省は戦前からこうした計画を認めなかったうえ、当時力を持っていた国立公園協会の田村剛会長が五合目から頂上までの開発に反対したため、実現しなかった。

1950年に入って富士山麓に30億円をかける観光開発が進められる中で、11月に各種の富士山登山鉄道の計画の一本化が果たされ、吉田——馬返し間11キロメートルを地上鉄道、馬返し——頂上間6・1キロメートルを地下ケーブルとする計画が提起された。しかし、前述のように厚生省がこうした計画に反対のうえ、自然保護団体として設立された日本自然保護協会は、1953年に明確に富士山登山鉄道の計画に反対を表明したため、この登山鉄道の計画も中止された。

しかしその後、日本自然保護協会は、山麓から五合目までの登山自動車道の計画に寛容な姿勢を示した。

文部省は、1952年に五合目以上と船津口登山道と吉田口登山道周辺を天然記念物に指定し開発を規制していた。1954年に文部省(当時)の文化財保護委員会は、富士山登山鉄道の計画を不許可にした。厚生省の自然公園法は、これまで五合目以上の開発を規制してこなかった。ともあれ登山鉄道の計画は潰え去った。

しかし高度経済成長ブームにのって、山梨県は、富士山観光の活性化をめざし1959年に「富士山地下鋼索鉄道」(モグラケーブル)計画をたてた。

ところがその年の8月に7号台風、9月に伊勢湾台風が襲来し未曽有の大災害を引き起こしたため、計画は一時中止された。その代わり山梨県は、難しそうな富士山登山鉄道計画を保留して、1961年に富士スバルラインの建設計画を立て、1964年に完成させた。

そのうえで今度は、１９６１年に富士急行創設者の孫の堀内光雄氏は、県が作成していた計画にそって壮大な富士山トンネル・ケーブルカー建設のかなり具体的な計画案を提起した。

しかし日本自然保護協会は、富士山の総合調査を行い１９６４年に「富士山の自然保護に関する陳情書」を公表して計画に反対した。この反対を受けて堀内光雄社長は、自然環境の保全の立場から計画の取り下げを表明し、世間の喝采をあびた。

21世紀に入って日本経済の苦境もあって観光立国論が政府により打ち出され、富士北麓観光連盟は、２００８年に富士山麓観光開発構想の一つとして、スバルライン上にＬＲＴという軽量軌道車を走らせる計画をたてた。しかしその年の9月にリーマンショックが起き、２０１１年に東日本大震災・福島原発事故があって、また２００９年に民主党政権が誕生して、政治経済状況は様変わりして、富士山登山鉄道どころではなかった。

しかし２０１２年末、自民党第二次安倍政権が誕生して、強力な観光政策が打ち出されていく中で富士北麓観光連盟は、２０１５年に富士山観光政策の報告書をまとめ、改めてスバルライン上に富士山登山鉄道を敷設する構想を提出した。

２０１９年1月の山梨県知事選挙で、この計画に消極的だった旧民主党系の後藤斎知事を破って、自民党系の長崎幸太郎が富士山登山鉄道構想の検討会を設置する公約で当選した。

Ⅱ 山梨県の「富士山登山鉄道構想」の問題点

1 「富士山登山鉄道構想」の概要

長崎幸太郎山梨県知事は、知事当選後、選挙公約にしたがって設置された「富士山登山鉄道構想検討会」で、2019年末に「富士山登山鉄道構想」の骨子案を策定した。

2020年2月に開催された第一回総会において前年末に作成された「富士山登山鉄道構想」の骨子案を承認し、さらに2021年2月に開催された第二回総会で「富士山登山鉄道構想（案）」を採択した。

この「富士山登山鉄道構想（案）～美しい富士山を後世に残すために～」の主要な目次は、以下の通りである。

① これからの五合目アクセス交通の在り方
② 登山鉄道導入の基本方針
③ 事業運営
④ 構想実現に向けて検討が必要な課題

⑤　今後の進め方

山梨県の地方紙「山梨日日新聞」のまとめた「富士山登山鉄道構想（案）の要旨」を以下に紹介しておこう。

①これからの五合目アクセス交通の在り方

来訪者数の増加に伴い、五合目ではディーゼル車両による水・燃料の運搬増加、自家発電量の増加などによる環境負荷が増加している。交通アクセスの在り方は来訪者数や活動内容に影響するので、アクセス交通の在り方を検討することが必要。地球温暖化対策や感染症対策、富士山の保存と適切な利用を高次元で調和させる視点が求められる。五合目アクセス交通のルートやシステムを比較したところ、法制度への適合性や氷雪対応、緊急車両の運行、安全性・快適性などから、富士山有料道路（富士スバルライン）上に次世代型路面電車（ＬＲＴ）を敷設することが最も優位性が高いと評価できる。

②登山鉄道導入の基本方針

自動車から登山鉄道へ転換する。ＬＲＴを軸に既存道路を活用して鉄道を整備する。許可車両以外の通行を規制し、架線を使わない「架線レス」を前提に、先進的な技術導入に向けた検討・検証を行い、富士山にふさわしい交通システムの導入を目指す。

富士山の顕著な普遍的価値を保全し、望ましい土地利用によって富士山の付加価値の向上を図る。適切な運行計画によって来訪者数を一定水準に抑制し、鉄道ならではの上質なサービスを提供し、向上する富士山の付加価値を富士山や地域に還元する。

電気、上下水道などのライフライン整備や、信仰の対象にふさわしい五合目空間の在り方を検討するほか、夏に集中する来訪者を四季に分散させるなど、富士山が抱える課題解決に貢献する。

③事業運営

事業主体・事業スキームについては、官民の役割分担を明確にしつつ、事業運営の方法を検討する。国土交通省などと十分な事前協議を行い、国などの支援スキームを積極活用する。

事業性を検討したところ、往復運賃1万円の場合で年間約300万人、2万円で約100万人の利用が見込まれる。収支シミュレーションでは、事業成立の可能性は高いことが見込まれる。ただし、富士山特有の気象・地形条件を踏まえた適正な維持管理費、架線レス方式の導入に関する費用など、現時点では試算が困難な経費が多く想定される。今後、さまざまな要素を加味した上で、さらに精査することが必要だ。

④構想実現に向けて検討が必要な課題

富士山での鉄道整備は自然条件や法的条件などの制約が多い。山岳地帯でのLRTという構想を具体化していくには事業運営、技術、法制度など多面的にさまざまな課題に取り組む必要がある。

検討が必要な課題は次の通り。①登山鉄道事業の枠組みの具体化、事業スキームや事業運営者の想定、官民の役割分担など ②世界文化遺産としての富士山に与える影響の評価の実施、土地利用に関わる法制度への対応、富士スバルラインの取り扱いなど関係法制度への対応 ③厳冬期を含めた登坂、制動性能の検証、架線システムや運行支障への対応など技術的な課題 ④噴火などの危機管理対応や五合目の在り方、ライフラインの整備など登山鉄道と併せて検討すべき課題

（『山梨日日新聞』2021年2月3日）。

この「要約」では指摘されていないが、また記事本文では、登山鉄道整備等に係わる経費は合計1400億円程度と試算される。

「富士山登山鉄道構想（案）」公表後しばらくして再選された知事は、事業性を検討したところ、往復運賃1万円は高いとの批判を受けて「県民からお金をもらう必要は全くない」と県民は利用料を無料にする考えを明らかにした（『山梨日日新聞』2023年8月4日参照）。

2 「富士山登山鉄道構想（案）」の問題点

「富士山登山鉄道構想（案）」は、多くの問題点をもっていた。

第一に、「富士山登山鉄道構想（案）」を作成・検討した富士山登山鉄道構想検討会の役員、理事は、東京の有識者と観光業界関係者に限定されており、富士山の保護の視点をもつ有識者がたった1名にすぎず、また地元の関係者がほぼ排除されていることである。「検討会」の委員には地元の有力者や自然保護意識のある有識者もいるが、その委員は、「構想」の議論からは完全に排除されていて、最終決定権をもつ総会では、「構想（案）」について意見を述べる機会さえ与えられなかった。それで後にみるように地元の有力者が「構想」に反対に回ることになる。

第二に、「富士山登山鉄道構想（案）」は、富士山登山鉄道の六つの方式、普通鉄道、ラックレール式鉄道（歯軌条鉄道）、ケーブルカー、ロープウェー、ＬＲＴ（次世代型路面鉄道）を提起し、ＬＲＴを最優位の方式と評価して、登山鉄道構想を立てたことである。

しかし他の登山鉄道タイプはいずれも激しい自然破壊・環境毀損を伴うものであって、そうした危険きわまりない登山鉄道方式とＬＲＴを較べてＬＲＴに優位性があるというのは、あまりにも子どもだましの手法である。確かにこれらのダミー案と較べれば、スバルライン上にＬＲＴを敷設する案は、自然破壊、環境毀損が相対的に少なく見え、優位性がありそうなことは間違いない。

さらに「富士山登山鉄道構想（案）」は、ＬＲＴの導入によって現行の自動車が排出するCO_2を減らし環境保全に役立てると主張する。しかしCO_2を減らすためには、何も巨額な資金を投じてＬＲＴを敷設する必要などなく、CO_2を排出しない電気自動車（実際は電気バス）で十分なのである。１４００億円の巨大な資金は、富士山観光のための別の政策や、自然保護・回復のために使うべきである。

長崎幸太郎山梨県知事の構想は、訪日外国人を高額の登山電車に乗せて稼ごうとするもので、安倍晋三内閣の観光立国政策の意図に依存したもののように見える（この件の背景は第6章参照）。

第三は、ＬＲＴによる鉄道観光事業の全体の問題点である。この問題点は二つある。一つ目は、登山鉄道の通年・冬季営業の問題である。二つ目は、通年営業に見合う登山鉄道営業のためのインフラ施設の建設問題である。

一つ目の登山鉄道の通年・冬季営業は、多くの問題点を抱えている。これまで富士登山の期間は二カ月ほどにすぎず、スバルラインの営業は冬季には極めて制限されていた。登山鉄道の通年営業は、旅客の大量輸送を目指し、登山観光を今より一層盛大なものにしようというアイデアである。

富士山登山鉄道の通年営業は、富士山観光においてさらなる過剰利用・オーバーツーリズムを助長する恐れが大きい。そもそも富士山の厳冬期間の五合目に観光客が集まるのか、何を観光するのか、観光が成り立つのかという問題がある。

仮に好奇心で厳冬期の五合目に観光が成り立つとして、厳冬期間に五合目周辺を徘徊して事故が起きないとはいえない。そのリスク回避費用も相当額になることが予想される。しかも冬季のスバルラインでさえ風雪、積雪、路面凍結、雪・土砂崩れ、落石、倒木などリスクがあるのに、通年登山鉄道にとってそのリスクはいっそう大きくなる可能性がある。そこに温暖化による異常気象である豪雨豪雪暴風が、富士山登山鉄道に襲いかかる。富士山は地震や噴火の危険性も抱えている。それらのための巨額な予防対策費も予想されるが、その試算はなされていない。

登山鉄道の通年営業のもう一つの問題は、実はこの点はあまり言及されていないことであるが、登山鉄道観光のための巨大な開発事業が隠されていることである。

すなわち相当数の旅客を「構想」が強調する「上質な利用体験の提供」で楽しませるためのインフラ施設（巨大な五合目の駅舎と中間駅、発電施設や上下水道施設、し尿処理施設など）、さらに観光施設（厳冬に耐えうるゴージャスなホテル・旅館などの宿泊施設、レストラン・土産物店、さらに五合目のお中道の観光のための施設など）の建設は、富士山の自然の大幅な改造・破壊、環境と風景の毀損を伴うということである。

第四は、「富士山登山鉄道構想」実現には、法制度上の許認可が必要であるという問題がある。「構想」は、自然公園法や文化財保護法上明確な規制を受けている。しかし「構想」は、そうした規制を十分承知の上で提起されていて、長崎山梨県知事は、もともと安倍政権の規制緩和によって国立公園の観光開発行為を容易化する政策を前提にしている。現在は、規制されている国立公園の観光開発行為も、２０２２年の自然公園法の実質上の改定施行によって、地域の国立公園協議会などが規制を緩和する計画を立てれば、環境省が容易に認める体制ができあがっている。

最近の環境省は、第６章で論じるように、「富士山登山鉄道構想」を認めかねないように変質してきている。

第五に、「登山鉄道整備等に係わる経費」合計1400億円の問題である。ここにも多くの問題点がある。

その一。一般論であるが、そもそも1400億円の想定があまりにも小さく抑えられていると思われる。2020東京オリンピックの場合、当初予算7340億円が、いつのまにか3兆円に膨らみ、世上から大批判を受けたものの、最終的に1兆4238億円となったのはよく知られたことである。労働力不足や原材料費の高騰で登山鉄道整備費はどんどん増えていく可能性が高い。

しかもこの登山鉄道整備などの経費合計1400億円には、「富士山特有の気象・地形条件を踏まえた適正な維持管理費、架線レス方式の導入に関する費用」などは含まれていないといわれており、そうした必要経費を含めれば、整備などの経費はさらに膨らむことは確実である。

その二。「構想案」では、経営主体が未定で、登山鉄道経営については、年間乗客数300万人、往復料金1万円という抽象的なことしか明らかになっておらず、車両の運行計画、投資内容など具体的な鉄道経営目論見書など提出されていない。「構想案」は、極めて抽象的でずさんな登山鉄道経営構想なのである。

その三。富士山五合目に通年で利用者約300万人を受け入れることを想定している。そのために大規模インフラ施設の建設も想定されるが、巨大な自然破壊・環境毀損を生む恐れが著しく大きいということである。

富士山観光の需要自体は相当高いので、登山鉄道の輸送能力不足が指摘されれば、さらなる輸送能力の拡大、インフラの拡充の要求が出されて、富士山大破壊の時代を招く恐れが大きい。以上のように富士山登山鉄道構想は、危険極まりないものである。

Ⅲ「富士山登山鉄道」反対論と反対運動

1「富士山登山鉄道構想」に対する反対論（2019年2月〜2020年1月）

2019年1月の知事選挙で長崎幸太郎山梨県知事が「富士山登山鉄道構想検討会」の設置を公約に当選した。

「富士山登山鉄道構想」は、まだ抽象的だったが、山梨県民は大方が賛意を示した。それでも、2019年2月8日の記者会見で富士吉田市の堀内茂市長は、富士山登山鉄道計画について、世界文化遺産としての保全面や鉄道の安全性に課題があるとして反対する考えを示した。

堀内市長は「『富士山は文化的意義と同時に素晴らしい自然がある』と述べ、自然環境への影響を懸念。有料道路『富士スバルライン』の上に整備する案に関し『急カーブがあり技術的に困難。通年営業だと雪崩の危険もある』とした。一方、冬の観光客の底上げや登山人員の管理・抑制でメリットがある」として反対を表明した（『産経新聞』２０１９年２月９日配信）。

２０１９年５月になって長崎山梨県知事が「富士山登山鉄道構想」を「2年でまとめる方針を示した」ことに、「富士北麓地域の首長や観光関係者から『寝耳に水』『性急すぎる』などの批判や慎重論が噴出した」と報じられた（『山梨日日新聞』２０１９年5月22日）。

２０１９年９月12日に「富士山登山鉄道構想検討会」第二回理事会で、「構想」の骨子案が出されると、10月21日に開かれた富士山世界文化遺産学術委員会は、「構想」の骨子案を検討したが、委員から厳しい批判が出されたと報じられた（『山梨日日新聞』）。

それでもこの時期には「富士山登山鉄道構想」反対の意見は、ごく一部にみられただけだった。

2　「富士山登山鉄道構想」反対の意見（２０２０年２月〜２０２２年12月）

２０２０年2月6日に「富士山登山鉄道構想」の具体化された「構想骨子（案）」が公表されると反対論がやや目立ってきた。

２０２０年2月6日に開かれた「富士山世界文化遺産学術委員会」は、「構想（案）」について議論し、「慎重意見が続出し」、「学術委員の目には登山鉄道の議論が拙速に映ったためで、世界遺産としての価値を守る観点から小委員会で考えをまとめる方針」を打ち出した（『山梨日日新聞』2月7日）。

続いて本書の共著者で静岡県三島市の環境改善団体「NPO法人グラウンドワーク三島」の専務理事渡辺豊博氏は、「富士山鉄道への危惧」と題し、「富士山登山鉄道構想」に反対した（2020年2月14日グラウンドワーク三島HP）。

その要点は、一、「構想」は、策定に地元住民の代表は選ばれず、富士山の現場の実態や自然環境の怖さなどを知らない中央の経済界や政治家、文化人などが上から目線、思いつき、政治的圧力、経済・観光振興優先の姿勢で策定されている。

第二に、LRTの設置は、排気ガスによる環境負荷抑制対策のためと謳っているが、電気バスなどの環境対策バスに切り替えていけば、この環境問題は解決できる。

第三に、「神の山・水の山・日本人の魂」である富士山を重機で切り裂き、環境破壊を誘発する。そのうえ富士山は、噴火や地震、雪崩、土砂流などが激しく、危険なところである。

渡辺豊博氏は、小文ながら実に的確に「富士山登山鉄道構想骨子（案）」を批判した。

2020年2月7日の『山梨日日新聞』は、富士吉田市の堀内茂市長や富士山七合目の山小屋経営者で富士山吉田口旅館組合の中村修氏らが、「構想骨子（案）」に対し、批判的な意見を述べたと報じた。また「5年前富士スバルライン上に鉄道を敷くべきとする報告書をまとめた富士五湖観光連盟（堀内光一郎会長）の担当者は、『地元への説明がこれから始まる。協議の推移を見守りたい』と話した」と「構想」に慎重な意見を示したと報じた。

知事がより具体的な「構想」を策定する方針を打ち出した折り、突然、2019年末に新型コロナ禍が起き「構想」の検討が一時棚上げされた。

それでも富士山世界文化遺産学術委員会は、２０２０年10月15日にオンライン会議を開き、予定通り「富士山登山鉄道構想についての中間提言」を提出し、「構想」に慎重な態度で臨むと決めた。

コロナ禍の下で開かれた「富士山登山鉄道構想検討会」第四回理事会は、２０２１年1月30日「富士山登山鉄道構想（骨子案）」に手を加え「富士山登山鉄道構想中間報告（素案）」を承認した。

この「素案」の公表に先立って、富士吉田市堀内茂市長は、２０２０年12月15日の定例会見で、『富士山登山鉄道構想』で県がまとめた素案について「雲の上で描いた、絵に描いた餅だ」と述べ、構想を巡って地元住民との意見交換がないことに不満を示した。事業費の試算に自然災害への対策費が含まれていないことを疑問視したほか、災害対策のインフラ整備による景観悪化にも懸念を示した。

さらに堀内茂市長は「富士山を守り続けてきた地元の人たちの意見を聞かず、雲の上の議論だけで素案が示されたことに違和感を感じざるを得ないと指摘」し「長崎知事には多くの意見に耳を傾けてほしい」とし、「富士スバルラインは毎年、土石流などに見舞われており、自然災害に対処する周辺整備のコストも必要となる」と述べ、事業費の試算を疑問視した。

堀内市長は、災害対策のインフラ整備によって富士山の景観が損なわれることへの懸念も示した。登山鉄道の実現で富士山の通年観光が可能になるとされたことにも触れ、「富士山からの恵みは今も十分に享受しており、冬場の人の出入りを制限すべきだ。富士山をこれ以上金もうけの道具に使ってほしくない」とも述べた（『山梨日日新聞』２０２０年12月16日）。

２０２１年２月８日に開催された「富士山登山鉄道構想検討会」第２回総会は、「素案」を「富士山登山鉄道構想（案）」として採択した。

以前から構想に反対していた富士吉田市堀内茂市長は、２０２１年２月10日の定例会見で「富士山の環境保全にはマイカー規制の強化や、導入が進んでいる電気バスの活用などが有効との考えを示し、『富士山に登山鉄道を敷くことに必要性を感じていない』と語」り、富士山登山鉄道構想に反対した（『山梨日日新聞』２０２１年２月11日）。

実は、私事で恐縮であるが、私は、２０２０年に入って「富士山登山鉄道構想」について研究を始め、２０２１年３月に「山梨県の富士山鉄道構想についての批判的考察」という論文を発表して、富士山登山鉄道に反対した。

２０２１年５月に富士吉田市内の女性たちは、富士山の自然環境を後世に残すことを目的に、登山鉄道構想に異議を唱えようと３月に約10人で「月見草の会」（北原恵美子会長）を結成した。そして同年５月10日に、「市役所を訪れ、…富士登山鉄道構想について堀内茂市長と意見交換した」（『山梨日日新聞』２０２１年５月12日）。

さらに２０２１年５月21日に開催された富士五湖観光連盟の「総会」では、堀内光一郎会長（富士急行社長）は、「富士山登山鉄道に反対」を表明した（『山梨日日新聞』５月22日）。

富士山登山鉄道構想は、富士五湖観光連盟が6年前に提起した経緯があり、今度の同連盟の「構想」反対は、山梨県にとって大きな痛手となった。富士五湖観光連盟と山梨県下最大の観光総合企業である富士急行社長が「構想」反対に回ったことは、富士山登山鉄道構想反対運動にとって大きな広がりと深みを与えることになった。

3 山梨県知事再選後の「構想」に対する反対論および反対運動（2023年1月〜）

2023年1月22日に山梨県知事選挙が行われ、「富士山登山鉄道構想」の推進を公約にして長崎幸太郎知事が再選され、知事は、当選後の記者会見で「構想」が「民意を得た」として推進する考えを示した。

しかし、同年4月23日に富士吉田市長選挙が行われ、「構想」賛成の対抗馬、早川浩候補を破って、「構想」に反対してきた堀内茂市長が五選目の当選を果たした。

堀内茂市長は、選挙後初の2023年5月12日の定例会見で富士山登山鉄道構想について次のような反対意見を述べた。

県が進める富士山登山鉄道構想について「なぜ鉄道が必要なのか疑問。ふさわしくないだろうと思う」と述べ、改めて慎重な姿勢を示した。そして堀内市長は、市の方針は以前から変わっていないと強調し「これ以上、富士山の自然に手を入れてほしくない。商業主義にも走ってもらいたくない」と主張。大規模工事による自然破壊に加え、降雪や雪崩、凍結、落石といった安全上の課題も指摘した。また富士スバルラインには現在、電気バスが運行していることに触れ、「今の状態であればこれ以上、富士山を傷つけることもない。電気バスで何ら問題はない」と述べた（『山梨日日新聞』2023年5月13日）。

他方、長崎知事は再選後、これまで抽象的だった「構想」を具体化するための施策に取り組んだ。

長崎知事は、2022年12月に「富士五湖自然首都圏フォーラム」を立ち上げ、以前と同様に中央の有識者を集め、富士山登山鉄道に、地域開発構想を付け加えて、富士山登山鉄道反対に目くらましをかけてきた。そして富士山登山鉄道事業の具体化を図っている。

2023年6月頃、NHKのインタビューに答えて、富士山世界文化遺産学術委員会の青柳正規委員長は、「五合目なり頂上まで電力を通して、環境への負荷を小さくしなければならない、電力を通した結果として登山電車ありきではないと思う。県などが主体というより周辺にいる人間や登山者、あるいは日本全体で『なるべく負荷を掛けないようにしよう』という気持ちを持つことが一番だと思う。広がりのある形で、みんなで協力して守っていくという形にしていきたい」とやんわりとだが、「登山鉄道構想」と知事のやり方を批判した。

2023年6月30日に開かれた山梨県議会の総務委員会の質疑では、地元紙は、「富士山登山鉄道構想に関して、県議から『鉄道ありきでは困る』などとする意見が相次いだ」として、4県議の批判的な慎重論を紹介している（『山梨日日新聞』7月1日）。しかし県議会では、富士山登山鉄道構想反対派は、少数であった。

富士吉田市堀内茂市長は、２０２３年7月6日の定例の記者会見で、「県が進める富士山登山鉄道構想について、『具現化の思いがあるならば、可否について日本の国民に問うていただきたい』と述べた」と報じられた（『山梨日日新聞』２０２３年7月7日）。

同年9月2日、富士吉田市の市議会で、市議の質問に答えて堀内市長は、山梨県の『富士山登山鉄道構想』に対する詳細な反対意見を陳述した（『山梨日日新聞』同年9月3日。あるいは市議会議事録を参照）。

堀内市長のこの陳述後の9月28日の富士吉田市議会では、市議らの提案で富士吉田市議会議長に「山梨県の『富士山登山鉄道構想』に反対する決議」が提出され、市議会議長を除く19名の議員のうち16名の賛成、2名の反対、1名の退席で、圧倒的多数の賛成で採択された。「決議では、富士山をしっかり守り、後世に引き継ぐことが『市の使命だ』と明記。登山鉄道構想を巡る県の進め方に『不信感を持たざるを得ない』と指摘。自然環境や景観保全への影響を懸念し実現性にも疑問を呈している」（『山梨日日新聞』同年9月29日）。

山梨県は、２０２３年11月から各地で初めて「富士山登山鉄道構想説明会」を開いた。

堀内富士吉田市長は、11月14日の定例会見で、市が10月17日から始めた「構想への賛否を問うアンケートの中間状況に触れ、今月13日時点で、全国から約1万70人の回答があり、賛成41％、反対59%だったと明らかにした。このうち約850名が市民の回答で、賛成が21%、反対が79%だった」(『山梨日日新聞』同年11月15日)。

このアンケート結果をみると、全国的世論では「構想」に反対が60%近くあり、富士吉田市民の声では反対が80%弱に達しており、従前の調査より反対の声が強くなってきていることがわかる。

地元紙『山梨日日新聞』は、同年12月5日に山梨、静岡の両県でつくる富士山世界文化遺産協議会の作業部会が富士吉田市で開催され、「両県の構成資産の神社関係者は山梨県が進める富士山登山鉄道構想に異議を唱えた」と報じた。

この会議において山梨県富士山登山鉄道推進グループの和泉正剛氏の「構想」についての説明に対して、冨士浅間神社(静岡県小山町)の石橋良弘宮司は「富士山が信仰の山という前提に立つと、『冬の富士山には入らない』というのがある。慎重に検討してもらいたいと発言し、通年営業に異を唱えた」「富士山は信仰の山。観光を重視し、神の山に手を入れることが良いとは思えない」と語った。

また北口本宮冨士浅間神社(富士吉田市)の上文司厚宮司も「『何のための夏の開山と閉山なのか、意味をなさなくなってしまう』と同調した上で、『構想自体、神社としては反対だ。くれぐれも神の怒りに触れないように』とくぎを刺した」「登山鉄道よりも、麓から富士山登山の再興に向けた登山道整備の重要性を訴え」、「富士山はもともと禁足地とされ、修験道や富士講のために夏山は開かれていった経緯があり、夏の開山期間は『入山が許容されている』という認識だという。会議後の取材に対して、『山に対する大規模な工事も伴う観点からも反対だ』と主張した」。

これまで二つの浅間神社の「構想」についての意見は伝えられていなかったが、この日、二つの浅間神社が、「構想」とくに登山鉄道の通年営業に反対したことは、富士山登山鉄道反対運動に大きな影響を与えることが予想される。特に富士山は「信仰の対象と芸術の源泉」として世界文化遺産に登録されており、信仰の役割を担う神社から「構想」反対が表明されたことは、「構想」の推進に大きなダメージとなるだろう。

２０２３年11月、私は仲間の有識者とともに「富士山登山鉄道建設に反対する市民の会」を結成して、長崎山梨県知事宛てに計画中止の「要望書」を送付し、また環境省、日本自然保護協会、イコモスなど各関係機関に富士登山鉄道建設計画を承認しないよう「要望書」を送付した。地元のメディアは、この活動を好意的に報じてくれた。

長崎山梨県知事は、私たちの反対論を無視して、反対論が古いデータに基づいているなど見当違いの反論をするしか術はなかった。

年も改まって２０２４年早々、政界では自民党安倍派のパーティー資金、裏金問題がマスコミで取り上げられたが、突如、長崎幸太郎山梨県知事が１１８２万円の資金を所属する二階派から受け取り、政治資金として報告しなかったという「裏金問題」が報じられた。

富士山登山鉄道計画は、いまだ抽象的な段階にあり、計画の中身が具体化し計画自体が完成するためにはまだ長い期間が必要とされることが予想できる。とはいえ山梨県知事らは、知事再選後、富士山登山鉄道計画実現のために着々と手を打ってきている。

しかし県が進めてきた「富士山登山鉄道構想」推進の「専門家検討会」は、ＬＲＴ（次世代型路面電車）に技術的な難問があり、建設費の高騰で総事業費の予測がたてられず、２０２４年３月までに提出が予定されていた「中間報告」をまとめることができず、継続審議とされた（『産経新聞』２０２４年3月13日配信）。

他方、富士山登山鉄道建設に反対してきた地元住民は、２０２３末から話し合いを進め、ようやく２０２４年4月26日に「富士山登山鉄道に反対する会」の設立総会を開催して、終了後に代表による記者会見を行った。

この記者会見は、全国紙や全国ネットのテレビ局によって報道され、富士山のオーバーユース問題とからめてメディアから注目され、富士山登山鉄道問題への関心をひろく国民に呼びかけた。「富士山登山鉄道に反対する会」は、インターネットにＨＰを設け「設立趣意書」と「『富士山登山鉄道構想』に反対する理由」を掲載し、反対署名と「反対の会」への参加を呼びかけた。

なお「富士山登山鉄道に反対する会」の発起人は、地元の有力者たちで、北口本宮冨士浅間神社の上文司厚（代表）のほか、富士五湖観光連盟の上野裕吉、富士山吉田口旅館組合の井上義景、一般社団法人カノエサルの勝俣俊二、富士吉田商工会議所青年部の白須一政・渡辺果林の諸氏であった。顧問には、富士五湖観光連盟会長（富士急行社長）の堀内光一郎、富士吉田市長堀内茂の両氏のほか富士吉田市会議員17名が名を連ねている。

そして2024年3月に住民6名で設立された「富士山の未来を考える市民の会」（共同代表秋山真二）は、5月16日に知事に、LRTの設置に疑問を投げかけ「登山鉄道の軌道が雪崩や落石によって被害を受ける危険性を指摘し、電気バスの優位性を主張」する質問状を提出した（『朝日新聞』2024年5月17日デジタル版）。

こうした地元の反対運動は、今後全国的な範囲に幅を広げ、全国的な富士山登山鉄道反対運動に発展していくことが予想される。

まとめ

最後に本稿のまとめとして次のように指摘しておきたい。

最近の国立公園における開発反対運動を顧みれば、富士山登山鉄道計画反対運動は、十分に勝算はあると指摘できる。

近年、国立公園内の開発計画の反対運動は、環境庁・環境省が公認した開発計画を中止させる成果を得ている。環境庁管理下の大雪山国立公園内の士幌高原道路建設計画、小笠原国立公園内の小笠原空港建設計画、環境省管理下の中部山岳国立公園内の「『立山黒部』世界ブランド化構想」、磐梯朝日国立公園隣接の出羽三山風力発電計画、十和田八幡平国立公園隣接の八甲田風力発電計画なども、反対運動によって中止されているのである。

出羽三山風力発電計画、十和田八幡平国立公園隣接の八甲田風力発電計画などは、行政が計画に反対したことが大きな勝因であった。大雪山国立公園内の士幌高原道路建設計画は、北海道知事が推進したものであるが、激しい反対運動によって中止された。

富士山登山鉄道構想は、山梨県知事の提案だが、富士山登山鉄道の設置される富士吉田市の首長および市議会が強力に反対している。こうした地元の強力な運動を無視して富士山を世界歴史文化遺産として認めたイコモスが、たとえ環境省が認めたとしても、自然環境と景観を大幅に破壊する富士山登山鉄道計画を容認することはできないだろう。

（本稿は、おもに拙著『国立公園成立史の研究』法政大学出版局（22世紀アート社の電子版の復刻版『日本の国立公園成立史の研究』)、『自然保護と戦後日本の国立公園』、『高度成長期日本の国立公園』、『現代日本の国立公園制度の研究』（以上時潮社）の四部作、直近の論文「山梨県の富士山登山鉄道構想についての批判的考察（Ⅱ）」（法政大学経済学部紀要『経済志林』第九一巻四号2024年3月刊）の中で、富士山に関して論じた章、節で詳論したものの要約に最新情報を付け加えたものである。ここでは引用、参照した文献、資料を逐一指摘していないが、詳細を知りたい読者は、拙著を参照していただきたい。）

第6章

「富士山登山鉄道構想」の背景にある「国立公園満喫プロジェクト」って何？

リゾート栄えて山河窒息

大山昌克
NPO法人「尾瀬自然保護ネットワーク」

はじめに

日本政府は２０１５年11月に、多くの外国人の訪日を期待し、当初オリンピック開催年であった２０２０年に向け観光立国を目指すために、「明日の日本を支える観光ビジョン構想会議」（以後「観光ビジョン構想会議」と略す）を設置しました。また翌年３月には「観光ビジョン構想」を策定しました。本稿はこの「観光ビジョン構想会議」に基づく環境省の「国立公園満喫プロジェクト」の打ち出した方針を検討するとともに、各国立公園で進められている観光地化の実態を分析し、今後の富士山開発が果たしてどのような方向になるのか、また私自身が取り組んできた尾瀬の保護活動の経験も通じた考察を試みたいと思います。

１　最近の環境省の国立公園行政

①環境省「国立公園満喫プロジェクト」の目的

「観光ビジョン構想」は、２０２０年までに訪日外国人４０００万人の招聘、訪日外国人消費金額８兆円の期待、２０３０年までに訪日外国人６０００万人の招聘、訪日外国人消費金額15兆円を期待する観光先進国を目指すものでした。

２０１６年に開催された「観光ビジョン構想会議」において、丸川珠代環境大臣（当時）は、「国立公園満喫プロジェクト」を設置し、2020年までに国立公園の外国人利用者数を、これまでの430万人から1000万人に増やし、「国立公園の『ナショナルパーク』としてのブランド化をする」ために、体験・活用型空間へと集中改善を図る旨を披露しています。

同じ会議で、安倍晋三総理大臣（当時）は「観光は、我が国の成長戦略の大きな柱の一つであり、そして地方創生への切り札である。GDP600兆円に向けた成長エンジンでもある。（中略）豊かな自然が凝縮された『国立公園』を、世界水準の『ナショナルパーク』に生まれ変わらせる」（首相官邸HP）と付け加えました。

②有識者会議――環境を守るべき環境副大臣が国立公園を「株式会社国立公園」と

環境省は「観光ビジョン構想会議」の提案に基づいて、2016年5月に「国立公園満喫プロジェクト」を設置し、その下に「有識者会議」を配置しました。この会議は、訪日外国人の受け皿として、国立公園をブランド化するために必要な助言を得ることを目的として組織され、有識者8名で構成されました。委員の多くは観光関係者、旅行関係者で占められ、国立公園の自然保護の研究者など生態学コミュニティー側の委員は不在であり、このプロジェクトが何を目指しているかを象徴しています。

失速状況の安倍内閣が起死回生を目論んだ挽回策は、訪日外国人観光誘致策であり、その消費金額の最大化を狙う経済対策であり、環境省もその一翼を担うものでした。

この「有識者会議」は、2023年3月末までで、全16回開催されています。環境省は、「国立公園満喫プロジェクト」を実行するために、まずは国内34国立公園の中から8公園を選定し、その公園に「自然環境整備交付金」などを支出し、外国人誘致の取り組みを集中的に行いました。

その取り組みは、基盤整備（多言語対応、Wi-Fi整備、ファムトリップと呼ばれる外国人に強いエージェントや旅行事業者の招聘など）から始まり、次に公共施設内に新たな民間事業者を導入してカフェの設営、上質なホテル誘致、外国人ニーズに合致する「高品質自然プログラム」テーマの開発、また海外プロモーション活動などを計画、まさに国立公園の観光化政策の指南役を果たしていきます。なかには廃屋となった民間の旅館を「自然環境整備交付金」で解体処理したという、不明朗な前例まで報告されています。

環境省は2018年9月に中間発表を踏まえた「国立公園満喫プロジェクトの今後の進め方について」を発表しました。「国立公園満喫プロジェクト」の打ち出した一連の方針は、これまでの環境保全や自然保護に努めてきた国立公園の「自然保護規定」それ自体を〝岩盤規制〟とみなし、この岩盤規制を緩和して国立公園を「観光特区」化して早期に外国人1000万人を呼び込み、消費金額の最大化を目指し、GDP600兆円を達成しようとするものであり、まさに新自由主義的なアベノミクスそのものでした。

このプロジェクトがもたらす影響としては、国立公園の観光地化、レジャーランド化が進展し、過剰観光と観光公害を生み、公園内の貴重な自然が不可逆的に破壊、大きく毀損される恐れが増大することなどが想定されます。つまり環境省主体のこのプロジェクトは、自然環境保全を司る環境省が、自ら環境破壊の先導的な役割を背負い、また観光庁の下請け的な役割を担うものでした。

当時の渡嘉敷奈緒美環境副大臣は、2018年8月の第9回国立公園満喫プロジェクト有識者会議の席上で、次のような挨拶をしています。

「今日の話を伺い、これは『株式会社国立公園』だと思ったほうが良いと思った。お客に向かってどのような商品を作っていったら良いのか。マーケティングはどうしたら良いか。宣伝広報はどうするのか。財務状態も良くないといけない。そういったことを考えて、お客のご意向に応えつつ、お金がまわっていくようにしていくことが大切である」

日本の環境行政を司るリーダーが、公式の会議で国立公園を「株式会社国立公園」と見る発言には疑問を感じます。豊かな自然から、人が受ける恩恵や効用をさす生態系サービスの場とする自然公園法の大原則を無視して、公園経営を株式会社化して外国人1000万人を国立公園に呼び込み、彼らが落とす巨億の消費金額に期待して、ビジネスの場や利潤追求の場にしたいとの意向を示しているわけです。環境省の使う「ナショナルパークのブランド化」という響きのいい政策の裏には、国立公園の環境保全などの規制を緩和させ、一層の観光化・商業化を目論むアベノミクスの野望と省益がありました。

これまでは環境政策の大きな転換や政策変更時には、自然公園審議会に諮問して、そこで十分に政策を検討し答申するという流れでした。しかしこの国立公園満喫プロジェクトは、このような審議会とは違い、満喫プロジェクトの有識者が国立公園の観光的利用を策定し、更に政策実行の財源を実質的に与えられ、有識者会議で作成した施策に沿って実行する組織でもありました。

有識者らの討議内容は、いかにして外国人観光客数を伸ばすか、どのようにして、その受け皿となるゴージャスなホテル建設を誘致させるか、またそれを阻む障壁などが議論されています。またアクティビティ（屋外で体を使うさまざまな活動的な遊び）は何にするのか、グランピング（道具や設備の準備がいらない自然体験宿泊）やカフェをどのように組み入れるかなどの発言も多く見られます。しかしそこには自然保護や保全に係る話はいっさい出てきません。つまりこの有識者会議は、環境省と有識者らによる国立公園外国人観光客1000万人目標を、早期に成就させるためのものでした。外国人観光客の満足度を高め、十分にお金を落としてもらうためのノウハウ集積の会議であり、地方公共団体はじめ民間事業にも参入を促すものとなっています。

国立公園満喫プロジェクト有識者の委員は、次のような人物です。有識者会議の委員8名の顔ぶれを見ると、座長涌井史郎委員（東京都市大学環境学部特別教授）、石井至委員（石井兄弟社社長）、江崎貴久委員（旅館海月女将、㈲オズ代表取締役）、加藤誠委員（㈱ジェイティビー旅行観光戦略部長、㈱JTB総合研究所客員研究員）、デービッド・アトキンソン委員（㈱小西美術工藝社社長）、野添ちかこ委員（温泉と宿のライター）、星野佳路委員（㈱星野リゾート代表取締役社長）、ロバート・キャンベル委員（東京大学大学院比較文化研究室教授）です。錚々たるメンバーですが、ロバート・キヤンベル氏以外は、観光業界に通じた人たちであり、国立公園の観光化計画に肯定的な方々です。環境省の政策会議にも関わらず、環境保全など生態学コミュニティー側の委員が存在しない有識者会議は、決定的な欠陥があると思っています。

③特別保護地区に分譲型ホテル建設を可能に

「国立公園満喫プロジェクト」の規制緩和政策の重要な課題として、特別地域に分譲型ホテル（コンドミニアム）建設を認める政策がありました。

「国立公園満喫プロジェクト」の意向にそって小泉進次郎環境大臣のもとで、２０１９年9月に国内の重要かつ傑出した自然である「特別保護地区」などの「特別地域」内に、環境省基準に合致すれば、これまで実質禁止されていた内外リゾートホテル建設業者に、分譲型ホテルの建設を認める旨の省令（自然公園法施行規則）が定められました。これは「宿舎に関する国立公園事業として分譲型ホテル等を認可等する際の審査基準の設定」という名称であり、国立公園の一等地といえる保護地区内にホテル建設を法的に可能とさせました。

実は、宿泊施設とその経営および今後の施策の方向性を検討するために、「国立公園満喫プロジェクト」の提言により、環境省は「国立公園における宿泊事業のあり方に関する検討会」を設置して、２０１８年5月から4回にわたり議論を重ねています。

かつて１９５０～60年代にかけて、国立公園内に進出した宿泊施設で放置され廃屋となっているものが、今でも多数残っています。満喫プロジェクトの方針である「景観改善」のため、立退き交渉をするものの、いまだこじれ、訴訟に発展している案件も多くあるようです。

この検討会は、多くの外国人観光客を呼び込むため、上質なホテルが必要との満喫プロジェクト有識者や宿泊事業のあり方に関する検討会委員のアドバイスのもと、廃屋とならない宿泊施設のあり方、集団施設地区の再生、宿泊施設の所有・経営・運営の分離など具体的な対応策や手法を検討しています。

この「国立公園における宿泊事業のあり方に関する検討会」の委員8名の肩書を見ると、座長の涌井史郎委員（東京都市大学環境学部特別教授）、星野佳路委員（株）星野リゾート 代表取締役社長）の2名は国立公園満喫プロジェクト有識者です。その他の雀部優委員（株）三井不動産ホテルマネジメント代表取締役社長）、沢柳知彦委員（立教大学大学院ビジネスデザイン研究科特任教授）、せきねきょうこ委員（ホテルジャーナリスト）、近年政府の観光アドバイザーとなっている下村彰男委員（東京大学大学院農学生命科学研究科教授）など観光業界を代表する委員が大多数を占め、自然保護を重視するのは唯一、吉田正人委員（筑波大学大学院人間総合科学研究科教授、元日本自然保護協会研究員）だけです。

この検討会の議事録要旨をみると、オピニオンリーダー役の委員は㈱三井不動産ホテルマネジメントの雀部優委員のように感じました。

④「2022年自然公園法の改定」施行

政権が代わるたびに検討会や審議会が開催され、時の政府の意向に沿った政策が繰り広げられます。新たな環境省内の制度、新たな省令発出や法改定が逐次行われました。

自然公園法改定の主な内容は二つあって、一つは開発行為を促進するため、もう一つは自然保護をすすめるための、実は相反する目的をもったものでした。

2018年6月第8回国立公園満喫プロジェクト有識者会議では、自然公園制度の見直しが検討され、「2020年自然公園法改定」を目指すとの提言をしました。

2022年4月に有識者会議の提言通り、自然公園法、自然公園施行令、施行令規則の一部改定が行われ施行されました。骨子は、旅館事業者やガイド事業者らによる協議会を設け、協議会が主体となり利用拠点整備改善や自然体験活動促進の計画を作成すれば、「計画に記載された事業の実施に必要な許可を不要とするもの」であり、法定化・手続きの簡素化の改定です。そこには環境影響評価調査や生態系破壊の未然防止などの文言はなく、環境省の裁量と事業者ベースで分譲型ホテルなどの設置が可能となるものでした。

これにより廃屋撤去や跡地利用活用の旅館、散策路、電柱の地中化などの手続きが簡素化されます。また自然体験活動促進計画制度の新設がなされ、グランピングやカヌーなどの自然体験およびアクティビティ施設と施設の上質化がすすめられました。

環境省は保護を前提に設置された「特別地域」を、環境省の判断で「特別地域により一律に禁止された開発行為を基準の範囲内で限定的に解除する」としました。また公益性というワードを錦の御旗にして、事業認可の基準により判断し、ホテル事業を認めました。

特別地域は保護することを優先に区分され、自然公園法には条文に禁止行為が列記されていますが、上質なホテル建設工事は、木竹伐採や土壌改変などを伴うことが想定されます。そこでホテル建設業者には行為規制は適用除外としました。利用拠点を次々に増やせば、果たしてどのような景観に様変わりするのか不安です。

今回の自然公園法の改定は、法的には一定のルールを備えてはいますが、拡大解釈や、なし崩し的な方向にいたる可能性が大きくなるように思われます。そもそも自然公園法の趣旨や生物多様性国家戦略の考え方から生まれたものではなく、訪日外国人観光客誘致という目的を成就させるための改定だからです。

これまでは開発行為規制などが壁となり、特別地域内の建設が阻止されていましたが、開発行為の「限定的に解除」と、行為規制である木竹伐採や土壌改変などは、ホテル建設の「適用除外」とするとした「特例」規定を設けることにより、開発に道を開きました。

これらにより特別地域内において、普通地域並みのホテル建設が可能となったわけです。この自然公園法施行規則改定により特別地域は法の条文を大きく変更することなく、実質的に環境省のホテル誘致地域に置き換わったことを意味します。特別地域は国立公園のみならず全国58国定公園にも適用されることは言うまでもありません。

環境法学者の小幡雅男氏は、「自然公園法は保護から利用に舵を切った」と指摘しています(『環境管理』2021年3月号)。国立公園の開発に、規制の「箍(たが)」をはずして、観光的な開発を自由自在に実施しやすくする制度が確立したということになります。

⑤国立公園内で進む大規模開発

環境省は、宿泊施設誘致などの施策を実行するために、2017年に新たに「利用企画官」という職種を省内につくり、地元ガイドやホテルディベロッパーの民間経験者を中心に正規職員として新規採用しました。そして採用後は、全国の地方環境事務所に配属しました。

この利用企画官の役目は、国立公園内のホテル建設誘致をはじめ、さまざまな建設工事の誘致や外国人観光客誘致の企画・計画ほか、外部とのパイプ役として、地元の業者らに開かれた国立公園を喧伝することであると思われます。環境省HPには、利用企画官は「外国人観光客を含む公園利用者を増加させるとともに利用環境を向上させるため」と記載されていますが、私には、現地の状況に精通した国立公園内の施設誘致担当者のように見えます。

前述のように、国立公園特別地域に分譲型ホテル建設が可能となるよう、小泉進次郎環境大臣(当時)は環境省令を発出しました。この省令発出と2022年の自然公園法改定施行により、国立公園を抱える多数の地方公共団体において、ロープウェー新設、分譲型ホテル建設、観光道路建設などの計画が既に加速化しています。
富山県では「（立山黒部）世界ブランド化推進会議」が設立され、３つのロープウェー新設「立山～弥陀ヶ原」、「黒部渓谷」、「立山カルデラ」を含む28プロジェクト案が公表されました。地元の環境団体は、「ラムサール条約（※）登録湿地および特別保護地区に近接しており、その景観を大きく改変してしまうばかりか、条約登録の条件に反するものとして登録取り消しの可能性を孕んでいる」として反対運動を起こしています。
山梨県では有料道路の富士スバルライン上の鉄道施設である「富士山登山鉄道計画」を公表、これに対し「富士山世界文化遺産学術委員会」から、「世界遺産の顕著な普遍的価値に影響を及ぼす恐れのある開発行為」と厳しい批判が出ています。瀬戸内海国立公園の六甲地区では、特別保護地区を、第2種特別地域にたちどころに格下げをして、横暴にも建設工事の認可がなされたと問題視されています。（国会議事録２０２１年4月22日参議院環境委員会　山下芳生議員）
伊勢志摩国立公園内では、世界的規模でホテル経営を行うアマンリゾーツ社進出により、ゴージャスなリゾートホテルやゴルフ場などが、特別地域に既に完成され営業を始めています。

（※）水鳥を食物連鎖の頂点とする湿地の生態系を守ることを目的とする、湿地の保存に関する国際条約。

⑥用意周到に規制の壁は壊された

国立公園満喫プロジェクトは、環境省による「国立公園の観光化」の事業です。プロジェクトの立ち上げ時に環境省は、国立公園を抱える各自治体に対し「先行モデルの募集」を開始します。富士箱根伊豆を含む16の国立公園から手が挙がり、8国立公園を選定しました。

選定8公園は、阿寒摩周、十和田八幡平、日光、伊勢志摩、大山隠岐、阿蘇くじゅう、霧島錦江湾、慶良間諸島。また後日、先行8公園に準ずる3公園が追加され、支笏洞爺、富士箱根伊豆、中部山岳が、モデル国立公園に決まりました。

選定基準は「陳情の多さ」もあったのか、有識者会議のある委員が「十数カ所の首長がモデル地域としての選定を要望するため、自分のところに来訪され、反響の大きさに驚いている」と発言したことが、議事録要旨に記載されています。選定された8国立公園では、前年の数倍となる自然環境整備交付金が補助金として支給されました。また座長である涌井史郎氏は、まず8国立公園を先行させ、最終的には全国34国立公園に広げることを表明しています。

2018年8月の第9回有識者会議では涌井座長より「施策の実行のためには財源がいる。そして、財源の中では国際観光旅客税の予算を導入していきたい」旨の具体性を帯びた会話が出てきます。特別地域内に分譲型ホテル建設を可能とする道が開かれ、外部業者と環境省とのパイプ役を担う「利用企画官」の国立公園内の配置も整い、人材、資金、法改定など規制の壁を破りつつ、総仕上げに向かっています。

尾瀬は先行モデルには応募しませんでしたが、２０２１年以降は尾瀬国立公園協議会で「尾瀬国立公園利用アクションプラン」が練られ、徐々に満喫プロジェクトの色に染まっていきました。

２　尾瀬にみる国立公園満喫プロジェクトの影響

①尾瀬国立公園の特徴

国立公園満喫プロジェクトは富士山登山鉄道構想にどのような影響を与えるのでしょうか。

「ＮＰＯ法人尾瀬自然保護ネットワーク」の一員として、尾瀬を見守ってきた筆者としては、尾瀬国立公園が国立公園満喫プロジェクトの路線にしたがって、急速に変容してきていることを論じることで、その行く末を考えてみたいと思います。

尾瀬は日光国立公園の一部として、１９３４年（昭和９年）に国立公園化されました。その後２００７年８月に日光国立公園から分離独立し、新たに福島県側の会津駒ヶ岳などを含めた今までに

尾瀬国立公園は開発の波を自然保護運動で退けてきたが、ゴミの汚染は絶えない

ない形の国立公園として誕生しました。

約8000年前に尾瀬は生成されましたが、周囲は2000メートル級の山岳地域であり、気象条件の厳しさが人の侵入を阻み続けていました。核となる尾瀬ヶ原は日本最大の高層湿原であり、また尾瀬沼は日本海に注ぐ阿賀野川の源流です。そこには氷河期を乗り越えた北方系の植物も多く、1000種を超える植物が生息し遺伝子をつないでいます。

脆弱な自然環境の地であり、希少性の高い動植物や自然環境自体を保護するため、尾瀬全体が特別天然記念物の指定（文化財保護法）を受けています。法的には自然物であるため特別天然記念物の指定ですが、人工物であれば国宝という価値の高いものと認められています。また自然公園法では、全地域が特別地域であり、普通地域は全くなく厳格に保護されている国立公園です。

②国家プロジェクトに翻弄されるも保護運動で退ける

戦前から戦後に至るまで、尾瀬は政府による国内最大級の水力発電の候補地と目されていました。度重なる計画はそのつど、学者や官僚を中心とした大きな反対運動により、長い時間はかかったものの頓挫をさせました。また高度成長期には、尾瀬を縦貫する観光有料道路計画が閣議決定され、工事が開始されましたが一般市民を含む猛烈なレジスタンス運動によりそれらを退けました。

自然保護運動では先駆的な役割をしたため、尾瀬は自然保護運動発祥の地とも呼ばれています。

水力発電、観光有料道路はともに、国家プロジェクトという大きな圧力であり、これらを許せば、瞬く間に尾瀬自体の価値がなくなるほどの危機でしたが、「尾瀬賢者」らによって守られ事なきを得ました。

③科学的知見に基づいた「旧尾瀬ビジョン」の終焉

２０１５年３月開催の第12回尾瀬国立公園協議会を傍聴していた筆者は、唐突で違和感のある発言を耳にしました。環境省片品自然保護官より「再来年度で10年を迎え（中略）10年を期に尾瀬ビジョンの見直しを行っていきたい」という尾瀬ビジョンの見直しの表明でした。各委員からは何も発言はなくその会は終了しましたが、翌２０１６年３月（第13回協議会）では、改めて新尾瀬ビジョンの意見集約、尾瀬沼ビジターセンター新築などの表明がありました。

環境省の発言の時期は、水面下で「観光ビジョン構想会議」が予定され、国立公園満喫プロジェクトはこの構想会議の一翼を担うとされた時期でもあり、「国立公園10周年を期に」ではなく、新たな尾瀬ビジョンづくりは、満喫プロジェクトの方針に応じた内容に衣替えさせる方針であったと推察できます。

振り返ってみれば、２００６年秋に旧尾瀬国立公園ビジョン（旧ビジョン）が作成され、２００７年に尾瀬地域が単独の国立公園となりました。この旧ビジョンは実に立派なビジョンであり、核となる保護の部分には、「科学的知見に基づいて保護と利用を考え、保護を超えない利用を原則とする」という文言があり、旧ビジョンのコアとも呼べるところです。旧ビジョンは、すべての利用禁止を求めているわけではなく、文字通り「科学的知見に基づいて保護と利用を考え」ていたのです。自然界の再生可能な力、種の保存力をきちんとモニタリングしたうえで、自然の回復能力を科学的に計り、その範囲内での利用をビジョンの先頭に出しています。生物多様性に及ぼす影響の低減、及び持続可能な利用に努めるビジョンでした。

④新尾瀬ビジョン策定のためのモニタリング

環境省はアンケート形式で意見を募り、集約して「いろいろな人たちの意見を集めて」新ビジョンを作成します。アンケート内容は多岐に分かれ膨大なため紙面の都合上割愛しますが、全体として500を超える意見回答になっています。なおこのアンケートの集約結果は、尾瀬国立公園のHPに「尾瀬ビジョン改定における生の意見集」として登録されています。

アンケート調査は、1みんなの尾瀬、2みんなで守る、3みんなで楽しむ、という3つのカテゴリーに分け、発言者の属性は、宿泊業関係者や一般市民、研究者、尾瀬ガイド、観光協会、旅行業関係者など15に分類されていますが、尾瀬で生業をしている方々が多いです。

500を超える意見の内訳は、1みんなの尾瀬35%、2みんなで守る13%、3みんなで楽しむ53%であり、圧倒的に「楽しむ」に対する意見が多く、また保護や保全に係る意見は全体の10%台と非常に少ないです。

発言者の属性は宿泊事業者、観光協会、旅行業関係者で5割近くになります。意見の多い、3「みんなで楽しむ」を見ますと、「多様な利用方法の検討」では、「沼で釣りや和船ができたらいい」（宿泊業関係者）、「期間限定のスターバックスなどを出店できれば、新しい魅力になると思う」（宿泊業関係者）、「鳩待峠～戸倉をケーブルカーで楽しむ。リフトやゴンドラで尾瀬を上から眺める」（尾瀬認定ガイド）、「尾瀬により多く集客する対策として尾瀬沼の活用。電気動力による渡し舟の運行。尾瀬の楽しみ方が増える。老若男女が利用することにより、福島・群馬両県からの観光客が必ず増える」（宿泊業関係者）などがあります。

もちろん研究者などからの傾聴に値する意見も少しはあるものの、特別天然記念物、特別保護地区内にふさわしいものなのか、いささかあきれる意見もありました。保護に係る意見は66件（12・7%）であり、観光促進を望む「みんなで楽しむ」意見は、272件と実に4倍以上となっていました。

環境省は広く意見を聴取するとして、尾瀬のステイクホルダーらにヒアリング調査を実施しましたが、それは初めから多くの観光関係者から、尾瀬の観光地化を助長し促進すべしという意見を多数意見として描き出すものでした。一方、尾瀬の自然保護を重視する人たちを軽視したものとなっています。

環境省はこのようなご意見も含め、「尾瀬にかかわる『みんな』の想いをとりまとめ」て、新尾瀬ビジョンとして2018年に公表しました。

新尾瀬ビジョンはお披露目されましたが、この内容が国立公園満喫プロジェクト方針と文言まで驚くほど似ています。新尾瀬ビジョンの方針が「国立公園満喫プロジェクト」の打ち出す、観光振興政策に強い影響を受けていることがわかります。

具体的には、国立公園満喫プロジェクト（以下、満喫プロジェクトと略す）は、「滞在（日数）を増やし地域経済の体積（消費額）を増やす」と指摘すれば、新尾瀬ビジョンも「滞在型・周遊型の利用促進」を謳っています。また満喫プロジェクトが「外国人に強いエージェントの招聘」を謳えば、ともに「旅行エージェントとの連携・旅行エージェントと連携したエコツーリズムの促進」を謳っています。満喫プロジェクトが、「訪日外国人が快適に過ごせる環境整備・外国人がストレスフリーで楽しめる環境整備」を述べれば、新尾瀬ビジョンも同様に「外国人も利用しやすい尾瀬のあり方の検討」を謳います。満喫プロジェクトが「小規模で高付加価値なホテル」と言えば、新尾瀬ビジョンは「利用者層や利用スタイルに応じた利用施設のあり方の検討」と、新尾瀬ビジョンでは多少言葉を変えて記載されています。まるで満喫プロジェクトからコピーされた新尾瀬ビジョンのようにも思えます。

一方、新尾瀬ビジョンには、ホテル建設など新たな人工物による、尾瀬の自然・環境への負荷や毀損について考慮する文言はほとんどありません。国立公園満喫プロジェクトの方針と同様に、尾瀬も観光施設を設置していくと感じます。耳に心地よく、美辞麗句は並びますが、「生物多様性の確保に寄与すること」などは無視し、国立公園をレジャーランド化しようとする、極めて危険なものと感じます。

また新尾瀬ビジョンでは、旧尾瀬ビジョンにあった「科学的知見に基づいた保護と利用を考え、保護を超えない利用を原則とする」という「基本理念」が完全に削除されました。

このように尾瀬国立公園は、新ビジョンへの衣替えが終わり、国立公園満喫プロジェクトの思惑通りに開発を進める下準備が整ったわけです。尾瀬が経験した水力発電ダムによる危機、観光有料道路による危機という、二つの悪夢に匹敵するほど破壊力を持った攪乱が、新ビジョンのもとでここから起る可能性が十分にあります。

⑤特別保護地区に入り込む

新尾瀬ビジョン作成から4年少しを経て、国立公園満喫プロジェクトの旋風の影響が尾瀬に出始めました。第21回尾瀬国立公園協議会（2023年1月開催）では、地元の観光協会や地方公共団体、山小屋組合など宿泊施設経営者、東京パワーテクノロジー㈱などが、外国人観光客誘致策や旅行者増大策を披露しています。

群馬県側の村では「訪日外国人旅行者誘客による地域経済の活性化を図るため、認知度と、来訪意欲向上に向けた取り組みを進める。本事業では、『海外メディアの活用』、『インフルエンサーの招聘』『現地観光セミナー』を通じて、尾瀬をはじめとする本村の観光資源の魅力を海外（オーストラリア・台湾）に向けて発信するとともに、『外国人アドバイザーの招聘』を実施する」と主張しています。

また富士見小屋（廃屋）の撤去後の跡地利用は、民間事業者による、富士見峠キャンプサイト建築を計画して変身させるようです。利用拠点滞在環境等上質化事業として、尾瀬の地主である東京電力（東京パワーテクノロジー㈱環境事業部尾瀬林業事業所）は「鳩待山荘建替えに伴い、至仏山が眺望できるウッドデッキ等を設置し、この場所に来ないと見ることのできない環境を整備することで、滞在者を含めた利用者の促進を図る」としています。

一部の山小屋では、「グルメを30商品開発し提供、全国の食の楽しみを味わって頂けるようなグルメブースを設置する」など、尾瀬国立公園協議会は観光客誘致のアイデア協議会のように感じます。夏期だけでなく、冬期のアヤメ平の雪上車ツアー、秋期の尾瀬戸倉尾瀬国立公園マウンテンマラソンが始まりました。このマウンテンマラソンは、特別保護地区を一部コースにするものです。また一般車の通行許可やEバイク（スポーツバイクに電動アシストユニットを取り付けた自転車）など、自然破壊などお構いなしの百花繚乱状態です。

すべての土地は特別保護地区、特別地域などの地種区分にお構いなく、協議会を媒介させれば、「利用」のために使えることを物語っています。保護のために設定した特別地域や特別保護地区を、普通地域並みに使おうとしていることは明らかです。協議会が策定した計画であれば法定化などの手続きを経ずに開発事業が可能になった、自然公園法改定の目論見どおりの展開です。

自然保護発祥の地でさえ、舞い上がったままコントロールの効かない凧の状態に陥っています。

貴重な生態系の不可逆的な破壊が、国立公園のみならず国定公園にいたる全国規模で起こることは必至です。

このように国立公園満喫プロジェクト提言のとおりに２０２１年に自然公園法改定公布は行われ、この法によるバックアップを得て、ホテル建設など心置きなく自由闊達に特別地域に踏み込むことができるようになりました。

３　生きものの普遍的価値

①特別地域とは

制定期の１９５７年の自然公園法第一条（目的）は、「我が国を代表する優れた自然の風景地を保護するとともに、その利用の増進を図ることにより、国民の保健、休養及び教化に資することを目的とする」としました。２００９年6月の自然公園法の改正で、第一条（目的）に「生物多様性の確保への寄与することを目的とする」という文言が新たに加えられ、生物多様性保全の屋台骨として、国立公園の保全施策となりました。しかし、「生物の多様性の確保に寄与する」という目的規定は、２０２２年に発令された自然公園法改定施行と環境省の裁量権により骨抜きとなり、保護地にまでホテル業界の進出を許してしまいました。

なお、特別地域は国立公園だけでなく、すべての国定公園にもきちんと区分されています。国立公園は全国で34カ所設置されていますが、特別地域は73%(普通地域26%)であるのに対し、国定公園58カ所の地種区分は、特別地域が91%におよび、普通地域は9%となっています。

保護を前提としている特別地域は国立公園よりも占める割合は大きいのです。全国の国立・国定公園のうち、保護に資する特別地域は、合計で2万9799平方キロメートルとなり面積では東京都(陸域)の13倍、もしくは岩手、福島両県を足した面積より広くなります。この膨大な面積が、実質的に環境省のホテル誘致可能地域に改変されたということです。

この特別地域は、絶滅危惧種をはじめとする生きものの最後の拠り所となっています。特別地域指定がない国立公園はなく、すべての国立公園には特別地域、特別保護地区があり、この特別地域に希少性のある動植物を含め多くの生きものが生息しています。

自然公園は、保護規制計画により地種区分が設けられ、これは公園計画作成時に環境大臣が審議会、関係都道府県に意見聴取して決定するものです。保護に関する公園計画(行為規制のゾーニング)は、陸域では大きく三つの地種に分かれます。特別保護地区(特別地域内で特に厳重に景観の維持を図る必要のある地区)、特別地域(優れた風景景観を有する陸域。第一種、第二種、第三種に区分)では、いずれも新たな建築物の新改増築や木竹の伐採、土石の採取は環境大臣の認可制であり、今までは保護地域内のため建設は実質的に認めていませんでした。なお普通地域(事前届出制)には新築、増築はほぼ自由にできます。これらの規定は、自然保護規定として重要な意味を持っていました。

②富士山、尾瀬の絶滅危惧種を追いつめる開発行為

環境省ＨＰによれば、富士箱根伊豆国立公園の敷地は広く、富士山地域、箱根地域、伊豆半島地域、伊豆諸島地域に分かれます。富士山には生育記録のある植物種は、日本に生育する植物種（シダ類以上）の約半数近くを占める２０００種余りが生息していると記載されています。指定植物とは、「環境省レッドリストの絶滅危惧種」及び「地域的に特に個体数が少ない種」の意味ですが、富士箱根伊豆国立公園の指定植物は、国内最大６９２種におよびます。ここは国内屈指の生物多様性に富んだ貴重な地域です。そのうち、山梨県のレッドデータ（絶滅危惧種リスト）記載種は、植物だけで１８９種もあり、また富士山周辺の絶滅危惧種指定のチョウ類だけでも16種が登録されています。まさに絶滅危惧種をはじめとする動植物の宝庫と言えます。

景観維持、生物多様性の維持を目指した、いわゆる保護規定は、自然公園法第20条の特別地域、第21条の特別保護地区に書かれています。工作物を新築し、改築し、または増築すること、土地を開墾しその他土地の形状を変更すること、鉱物を掘採し、または土石を採取すること、木竹を損傷すること、木竹以外の植物を採取し、若しくは損傷し、または落葉若しくは落枝を採取すること、などはすべて環境大臣の認可事項であり、禁止行為といえる条項です。また環境大臣が指定するもの（以下、「指定植物」という）を採取し、または損傷することも規制されています。

国内の保護地域以外の陸域は、開発という名の破壊がすすみ、鳥や小動物、チョウなどの昆虫

また植物も激減している事実は多くの方が実感していると思います。トキの野生種絶滅、カワウソなどの絶滅は新聞報道に出てきますが、身近で聞こえた鳥のさえずりも徐々に消えていると思います。

種の保存法（絶滅のおそれのある野生動植物の種の保存に関する法律）には、「第一条（目的）この法律は、野生動植物が、生態系の重要な構成要素であるだけでなく、自然環境の重要な一部として人類の豊かな生活に欠かすことのできないものであることに鑑み、絶滅のおそれのある野生動植物の種の保存を図ることにより、生物の多様性を確保するとともに、良好な自然環境を保全し、もって現在及び将来の国民の健康で文化的な生活の確保に寄与することを目的とする」と書かれています。

野生種減少の主な要因は人為的な不作為であり、たとえば都市化や化学薬品拡散、水質汚濁などを介して、生きものの個体数自体に多大なる負の影響を与えてきたものです。環境省公表の「国内希少野生動植物」は、毎年、希少野生種数が追加されて2023年の資料公表では、442種におよびます。

今まで開発の波が比較的小さかった全国の国立公園特別地域は、野生動植物が生息できる生命線になっています。

生きものの生息環境が変化して、エサの取得や子育てができない場合、逃げる手段を持っている生きものであれば逃げ出し、動けない動植物は死滅します。生きものはその環境に則して生き延びてきたものです。他の地に移ったとしても、生き延びることはたやすいことではありません。生息域が狭められ特別保護地区などに逃げ込んだ動植物は、やっとこの地で生き抜いてきた生きものとも言えます。

ましてや気候変動という時代に入り、生きものたちが受け継いだDNAを子孫に継承することが非常に困難な生息基盤に変容している環境です。特別地域内のリゾートホテル建設は、リハビリ状態の絶滅危惧種に追い打ちをかける行為です。

③尾瀬の生態系破壊と富士山および富士山登山鉄道開発

名峰富士は世界自然遺産ではありませんが、国内屈指の自然保護地域です。私たち大人のみならず将来世代に残すべき貴重な遺産と考えます。世界自然遺産に指定されなかった理由の一つに、入山者の多さとそれにまつわる人為的な環境悪化があると聞いています。すでにオーバーユースとも言われていますが、今後、さらなる宿泊施設設置や登山鉄道工事などで、山岳地域の脆弱な山腹に重機を伴う攪乱行為を行えば、どれほどの負の影響が出てくるのか計り知れません。観光収入増計画だけが、一人歩きしていますが、ありのままに近い自然を将来世代に残そうという考えがほしいです。

往復運賃1万円、乗車人数は年間３００万人かつ通年営業を主張するこの鉄道計画は、いったい誰のために行うものなのでしょうか。少なくとも自然環境保全のためとは考えられません。登山鉄道案を掲げ再選された知事ですので、県民もレジャーランド化や、一層の観光地化を望んでいるのかと勘ぐってしまいます。バス排出のCO_2対策であれば、あえて登山鉄道を持ち出さずとも代替案はあると思います。

富士山を無節操に扱えば、せっかくの遺産の価値が摩滅してしまいます。学術的にも貴重な富士を今の大人の世代で終わらせないよう十分に検討してほしいものであり、その検討内容は議事録など記録を通じ国民が確認できるよう残してほしいものです。

私には登山鉄道の可否を判断する見識はまったくありませんが、国内屈指の困難な気象条件に加えて、自然攪乱の地震、噴火、雪崩、またエコツアーと称した団体による人為的な植物や土壌攪乱の話も聞こえます。植物相の多くは氷河期を超え局所的に種が生き残ったものと推測でき、そのため温暖化に対する脆弱性を内在していると考えられます。政治家らによる鉄道設置の判断でなく、自然環境面に通じる専門家によるジャッジが特に必要だと思います。

政治家や事業者のみなさんは、すぐにでも工事を行いたいのでしょうが、最優先課題である入山者の安全確保、環境破壊のない技術や方策が十分に検討され、改めて将来世代以降の方々に、再検討し判断してもらうことも一つの方法と思います。前のめりの姿勢で政治家の任期中に登山鉄道を設置するのではなく、科学的な判断および技術的に安全確保ができるまで、「待つ」という考え方です。鉄道走行中にスラッシュ雪崩が起きた場合の被害は、桁違いな惨事になると思っています。「急いては事をし損ずる」の言葉のように、過去の教訓や新たなデータを積み重ね、先手を打てる体制が将来できるまで、知見や技術革新を「待つ」ことが大切と感じます。

富士山の登山鉄道計画が大きく動き出せば、宿泊施設や飲食店はじめ、多くの観光に係る事業者が新たに参入し新築、改築などの行動に出ることは間違いないと思います。さまざまな建設工事による攪乱に加えて、多くの人が国立公園の核心部分に入り込めば、ヘリ空輸で運び込まれる物量もまた多くなります。いずれにしても環境負荷（特に土壌や植物への負荷）が想定されますので、将来世代に判断を仰ぐべきと考えます。保護が優先なのは自明の理であり、健全な自然があっての観光です。このスタンスは貫かれなければならないとともに、決して屈してはいけないポイントです。

大規模開発による裸地状態にできた宿泊施設や交通網の周辺は、たちどころに外来植物の花園に変化し、在来植物が大幅に劣化となります。

尾瀬国立公園で確認されたケースですが、第４次尾瀬学術調査（２０２２年3月発行）報告によれば、尾瀬内にはすでに50種を超える外来植物相が確認されています。今回の報告で特に極めて影響が大きく問題視されているのが、欧州原産コテングクワガタ（オオバコ科）の侵入です。尾瀬在来の希少種テングクワガタとの中間的な植物が確認されました。いわゆる「遺伝子汚染」と呼ばれるものです。

尾瀬にあるすべての宿泊施設周辺から欧州原産コテングクワガタが確認されていますので、今後も遺伝子汚染はますます広まるとともに、在来種の絶滅につながる恐れもあります。コテングクワガタの種子は、ヘリ空輸運搬用ネットに付着して拡散されたようです。私が尾瀬で見てきた宿泊施設周辺の残念な生態系破壊の姿です。人為的な生態系攪乱のみならず、厳しい気象条件、脆弱さ、急峻な山岳地域の人工物設置自体が、自然災害を誘引することも想定しなくてはいけないと思います。富士山に熟知した自然科学系の研究者の意見を十分に参考にして、鉄道計画を考えなければいけないと思います。尾瀬の二の舞いにならぬように。

国立公園の自然価値は、不変的なものであり、その時の人や政治家の判断で変わるものではなく、また登山鉄道設置によって富士山の価値が向上するとは考えにくいです。

先祖から引き継いだ貴重な富士山の自然を守りつつ、惨事の未然防止に十分配慮した富士山観光を継続してほしいです。外国人誘致人数や消費金額にこだわることなく、富士の安全性と自然の濃密度が世界に認められれば、一時期のブームでなく長い期間にわたり愛される富士山につながると思います。2024年3月12日産経新聞には、「五合目の大規模再開発などの周辺事業などが追加」との記事が出ていますが、ほとんど行政の暴走に感じます。

④将来に禍根を残す日本の自然保護政策

環境省は、時の政権の顔色を見ながら開発や利用に力を入れたり、時に少し保護保全の色を出してみたりと、両にらみの行政を行っています。問題は自然保護と開発の双方の権限を、同じ行政が保持していることだと思います。

一度自然を壊してしまうと再生までに長い時間と費用がかかります。たとえば、尾瀬の湿地帯を入山者が踏み荒らしたケースでは、50年以上の年月をかけて再生事業を行っていますが、いまだ道なかばで元には戻らず、現在でも湿地回復事業が継続されています。このように小さな規模の再生であっても、半端ではない期間がかかります。場合によってはいくら費用をつぎ込んだとしても、回復できないケースも出てきます。

小さい範囲の人工物の設置であっても、自然界にはデメリットをもたらします。そこに生息する植物や小動物、昆虫は生態系というお互いに見えない「糸」で結ばれ、相互に作用して生息しているからです。公園の核心スポットに限った入り込みや建設の制限をするのではなく、公園には公園ごとに希少動植物が生息していますので、その保護のゾーニング、つまり生態系丸ごと保全することが必要です。多くの生きものの遺伝子は、国立公園特別地域を含む豊かな自然界にあり、過度な利用や破壊行為は遺伝子自体をなくす行為につながります。元も子もなくなってから議論しても遅すぎます。

特別地域内のホテル建設参入という風穴が開き、その穴がなし崩し的に広がることをおそれます。それが集団施設であろうが、改築、新築かを問わず、地種に応じて専門家による科学的な環境調査を必ず求めるべきであり、過去と同じ轍を踏まぬようにしなくてはなりません。また撤退時には、上物の処理のみならず、土壌汚染の有無も十分な確認が求められます。人がつくったものの大半が、自然界ではゴミとなります。多くの人工物は物質循環が行われないためです。事業者側の自由気ままな参入が、どれほど自然を破壊してきたかなど、あまたある事例を考えると、特別地域が虫食い状態に陥る可能性が極めて高いと思います。

今後の国立公園は、2022年に改悪されたこの自然公園法を後ろ盾にした激しい「リゾート開発計画」の波にさらされることになります。大規模な開発計画が再び息を吹き返し、また新たな計画が惹起されるのかもしれません。一方、自然を守ろうとする団体や個人は、合法化された不当な開発計画に反対して、真冬のごとく厳しい戦いになるだろうと予感します。

保護ということは、その時々の政治的な都合や環境省による裁量権で実現できるものではありません。特に自然公園、これらは国民の共有自然遺産です。それも国宝級の価値ある種もあり、将来世代にも共有するものです。さまざまなツケを将来世代に回している今の大人世代は、将来世代から軽蔑と愚民世代との評価を受けることでしょう。

⑤海外から「最低レベル」と評価される日本の自然保護

世界的には、今は生物多様性を求める時代に入っています。つまり生きものが、ありのままの姿で生きられる自然を、いかに守るかが注視されています。

かつて日本は、海外の自然環境保護団体や国連組織から、自然保護制度を改正するよう圧力が強まり、1993年5月に生物多様性条約を締結します。そして1995年5月には、生物多様性国家戦略を作成しましたが、日本の報告書は極めてお粗末なものと評価されました。また環境省は２００２年３月「新・生物多様性国家戦略」の答申を経て、「自然と共存する社会」を新国家戦略と定めたことにより、日本の国立公園は、形式的には自然保護に軸足を置くことになりました。

国連の定めた「国際生物多様性年」である２０１０年、生物多様性条約第10回締約国会議（ＣＯＰ10）が愛知県名古屋市で開催され、ここで自然公園のあり方が問われ始めます。２０１５年の９月には、ニューヨーク国連本部において、「国連持続可能な開発サミット」が開催され、１５０を超える加盟国首脳の参加のもと、その成果文書として、「われわれの世界を変革する：『持続可能な開発のための２０３０アジェンダ』」が採択されました（国際連合広報センター）。国際レポートである持続可能な開発レポート報告によれば、日本は世界の目からは芳しくない評価となっています。最新の国際連合広報センター公表の「２０２３持続可能な開発目標報告」によれば、「日本のＳＤＧｓ総合スコア（達成度）」は２０１９年では15位でしたが、２０２３年は21位まで評価が落ちています。

また、ＳＤＧｓ目標のうち、№15「陸の豊かさも守ろう」の評価では、生物多様性のために必要な陸地や河川地域の保護が不十分であることや、レッドリスト指数の値が芳しくないと強く指摘されています。日本の現状は主要な課題が残っており、傾向としては「深刻な課題がある」「悪化」と評価され、最低評価となっています。また、ＳＤＧｓ17すべての目標を個別にみても、「世界レベルで達成できると予測されるものは一つもない」と厳しく指摘されています。

⑥保護と開発の「股裂き状態」の環境省

国際条約において日本の国立公園は保護規定の策定があるにもかかわらず、自然環境保全政策は、実質的に利用優先の政策となっています。環境省に対する圧力は、二つあります。海外からは圧力として保護保全の「質」を求められ、政府や事業者側からは開発の圧力が求められています。環境省は、二つの衝突の中で、危機的な状況に追い込まれています。環境省は、「保護と利用の好循環」という標語をしきりに使っていますが、今や保護と利用は「好循環」どころではなく、「股裂き状態」に陥っています。しかし、環境省には一部の政治家や観光業者らの声はよく届くようですが、学術的価値の声はなかなか届かないようです。このような横暴な行政は、まさに大正・昭和時代の環境行政そのものと感じます。

特別地域の生物多様性を守り活用することは、人間にとっても安全保障の根幹です。特別保護地区などの特別地域にホテル建設工事をあえてすることは、貴重なコア部分の毀損につながり、一部の観光業者の短期的利潤追求の行為による自然遺産の喪失は、金額では計り知れないものになります。

最後に

外国人観光を否定するつもりは毛頭ありませんが、しかし国立公園特別保護地区にラグジュアリーなホテルは不要であり、国民の大切な自然遺産の破壊につながります。建設工事費用の半分程度が環境省より補助金で賄われる（自然公園法施行令第4条）そうですが、ホテル建設業者や観光業者に湯水のように公的資金が流れる構造は、過去幾度となく見てきた景色です。

将来世代が受け継ぐ権利を有する日本の残された貴重な自然を、世界遺産の価値を食いつぶすようなことは、今の大人の世代で止めませんか。そしてまともな自然を残してあげませんか。

おもな参考文献

村串仁三郎『現代日本の国立公園制度の研究　国立公園は自然保護の砦か　レジャーランド・リゾート地かを問う』（2023年、時潮社）

環境省関連の資料は、「国立公園満喫プロジェクト有識者会議」資料、「国立公園の宿舎事業のあり方に関する検討会」資料、尾瀬国立公園協議会の関連資料は、環境省のHPに掲載されている。

大山昌克／おおやま・まさかつ
NPO法人尾瀬自然保護ネットワーク副理事長。同ネットワークは1997年「尾瀬の自然を守る会」の志を継ぐ指導員有志を発起人として設立。以来27年、尾瀬の保護活動と啓発活動を続けている。著書に『尾瀬の博物誌』『尾瀬　奇跡の大自然』（ともに世界文化社刊）がある。

美しい富士山は保全しないかぎり永遠ではない

第7章 私が考える富士山再生への復活プロジェクト

渡辺豊博

自然、信仰、歴史……
ご来光以外の富士山の魅力が詰まった富士吉田口登山道ガイド

大きな効果が期待できないようなやり方での入山規制や五合目まで登山鉄道を敷設するというおかしな対策が、次から次へと飛び出してくるのは、観光客も行政も業者も富士山の五合目や山頂を目指す、「一点集中型観光」しか考えていないためです。

これまでに述べてきたように、富士山は、豊かな自然環境や歴史的文化的遺産を持つ世界に誇れる山です。今まで80回以上も富士山に登って、その深遠な魅力を知り尽くした私としても、読者の皆さんに山頂でのご来光以外の多彩な富士山の魅力を紹介したいと思います。

まず体験してほしいのは、北口本宮冨士浅間神社（富士吉田市）の富士吉田口登山道です。この道は古道として唯一平地から頂上まで登れる道で、遺構や美しい自然を感じることができる登山道・巡礼道です。

現在、富士山観光の中心は、五合目を含めて、山頂への登山に偏り、過去の歴史的な巡礼道への関心はほとんど持たれていません。しかし、江戸時代には「富士講」の信仰・参詣の山として賑わい、特に、吉田口登山道は、富士講の正式な登山口とされたために、他の登山口を圧倒して、多くの登山客が押しかけた繁栄の歴史があります。

しかし、富士吉田口では、１９６４年10月の富士スバルラインの開通により五合目まで車で行けるようになったために、五合目以下の登山道は急速に荒れていきました。登山者が激減し、山小屋の営業が困難になり、施設の倒壊や廃屋の増加、富士山信仰に関わる石造物の損壊・消失、登山道の流出・崩壊などにより、廃道化して忘れ去られた巡礼道になってしまいました。

この吉田口登山道にあった山小屋や信仰施設は、江戸後期の絵図「富士山明細図」や「富士山真景之図」に明確に描かれており、これらの施設は富士講を実証するための歴史的な「遺構」です。

以下、これらの巡礼道を紹介します。

起点となる「北口本宮冨士浅間神社」境内の長谷川角行が荒行をしたといわれる「立行石（たちぎょういし）」を過ぎると、「登山門」があります。そこから南に約1キロメートル行くと、アカマツ林の諏訪森が広がる「高原の原」に出ます。

さらに1キロメートル行くと多くの茶屋があった「御茶屋」があり、ここは「泉瑞（せんずい）湧水」への分岐点でもありました。以前は「泉水（せんずい）」という、富士山の湧水が湧いていました。泉水は、富士講の人々が登山前に水垢離（みずごり）をして身を清めた信仰登山の中で重要な場所です。

歩いていくと「中ノ茶屋」（１１００メートル）に出ますが、ここは古くより「遊境」と称されました。中ノ茶屋の反対側には、いくつもの石碑が建てられています。富士山信仰のグループである富士講の先達（リーダー）が33回登ったことを記念して建てられた石碑が残っています。

また、この辺りから1時間ほど歩いた先にある大正時代に建てられた大石茶屋跡にかけての一帯は、4月下旬に咲くフジザクラとレンゲツツジの混成群落が広がり、国の天然記念物に指定されております。躑躅原（つつじがはら）のレンゲツツジは毎年5月下旬頃に見頃を迎え、赤色・ピンク色の花が咲き乱れ、見ごたえがあります。ヤマネやニホンリスも生息しています。

緩やかな坂道を登ると「馬返し」に着きます。歴史的にここからの巡礼道が険しくなることから、連れてきた馬を引き換えさせた地点であることが名前の由来です。富士山は江戸時代までは、山麓から頂上まで3区分され、「草山・木山・焼山」三里と呼ばれ、馬返しは、草山と木山との境に位置し、富士山信仰の基点・拠点でした。

現在でも、馬返しには山小屋1軒（大文司屋）が存在し、188年前に建立された「石造鳥居」や石造物が多数点在しています。その他に2カ所の山小屋跡と平場があり、昔を彷彿とさせる霊山としての雰囲気を感じさせます。私はここまでの自然を満喫しながら富士山の歴史を感じて登るのが大好きです。

良さを知っているのが外国人ばかりではもったいない

馬返しの石造鳥居をくぐり山道を登っていくと「鈴原社（大日社）」がある一合目に着きます。古くは境内に鳥居、手水鉢、小屋、拝殿、本殿などがありましたが、社は閉じられ小屋も崩壊しています。周辺部の富士山信仰を示す多数の碑も倒壊、散乱し、歴史的施設の保存状態は最悪です。霊山としての巡礼道・参詣道が、人々の記憶から消え去り歴史の谷間に埋まってしまう、危機的な状態になっています。

そこから上の遺構や二合目の冨士御室浅間神社で参拝します。神社本殿は1612年にはこの地にあったということがわかっています。木山と焼山の境にあたる五合目までの登山道周辺の森林地帯の新緑と紅葉の景色は、世界に誇れる美しさです。とくに馬返し辺りから上の秋のナナカマドやフジザクラの紅葉は見事です。

五合目まで登ったら、最初の山小屋「佐藤小屋」で休憩です。吉田口五合目で唯一、通年営業している小屋です。紅葉といえば、五合目から少し登った富士山をぐるりと回って歩けるお中道から見る紅葉も最高です。何よりもこの吉田口の登山道がいいのは人が少ないことです。ゆっくり静かに富士山を堪能することができます。登ってもすれ違うのは外国人ばかりのときもあります。

カナダ人で、香港で仕事を終えて国に帰る途中に富士山にいつも立ち寄るという女性に出会ったことがあります。羽田空港で日本に降りてロッカーに書類や仕事着を全部入れて着替えて富士山に向かうそうです。新宿駅から富士山駅まで移動します。北口本宮浅間神社から走って五合目まで登り、また走って下って、滞在1日でそのままカナダに帰るとのことでした。

特に、紅葉の時期は外国の人が多いです。そんなハードスケジュールを組んでまで登ってくる人もいるわけですから、吉田口登山道が、海外の人たちにとって、いかに魅力的な登山ルートかということを実証しています。

富士吉田登山道は観光名所としても、富士山の歴史を感じる場所としても本当に素晴らしい道です。みなさんにももっと味わってほしいルートですが、日本人はほとんど見かけず、本当にもったいない有様です。素晴らしい観光地なのにとにかく使われていません。

巡礼路で世界的に有名なスペインの「サンティアゴ・デ・コンポステーラ」は、いまでも巡礼路が整備・維持されています。巡礼の拠点の街々には巡礼事務所があり、巡礼の証明である手帳を受け取れます。礼拝堂を修復した無料の宿泊所も完備され、この宿では巡礼者の足を水で清める「洗足の儀式」も体験できます。これらは地域住民による無償の奉仕で支えられ、歩き続けることが「観光の目玉・意味」となり、世界的な観光地としての評価を受けています。

吉田口登山道をこのような聖地への道・巡礼道、道の世界文化遺産として再評価し「一点集中型登山」から「分散型登山」に改め、富士山の多様な魅力を発信できれば面白いと思います。倒壊・廃屋化した山小屋や遺構の再建、登山道やトイレの整備、海外への発信、巡礼道としての受け入れシステムの構築など、新たな付加価値の創造が必要だと思います。

静岡県側の古くからの登山道で言うと、富士宮市にある大宮・村山口の古道が素敵です。この大宮・村山口は、世界文化遺産の構成資産です。しかし、書いてきたように、その道はごく一部しか残っていません。『絹本著色富士曼荼羅図』は大宮・村山口の富士山本宮浅間大社からの景観を室町時代に描いたとされる見事な絵図です。絵の下のほうに寺と神社が並んでいる場所がありますが、これが興法寺と村山浅間神社だといわれています。

曼荼羅図で御師や富士信仰の民衆が列をなして富士山を登っているように、富士山本宮浅間大社を起点にして村山浅間神社を経て、当時を想像しながら歩いてみたら、まさに、歴史のミステリーゾーンに迷い込んだ感動を味わえます。

富士山を代表するパワースポットである世界遺産の3つの構成資産

富士山の世界文化遺産は25の構成資産から成り立っています。構成資産とは末永く保存しておくべき文化的に価値のあるものとして、世界に認められたスポットです。富士は信仰の山ですから、その中から信仰にまつわるおすすめのスポットを3つ紹介いたします。

さて、長谷川角行は、16～17世紀にそれまで修行のための山だった富士山を、広く一般の人々が富士山を登山することにより救われる登拝信仰の対象として広めた富士講の開祖です。角行は長さ83メートルの溶岩洞窟で瞑想し続け、最終的には生き仏のように105歳で死んだと言われています。その場所が富士宮市の「人穴(ひとあな)富士講遺跡」です。

ここは角行が洞窟内で角材の上に一千日間立ち続けるなどの荒行を行い、浅間大神の啓示を得たという富士山の神の御在所でもあるわけです。江戸時代には富士講信者が多数この人穴洞窟を参詣し、そこから富士山に登るという富士講ブームが起きました。

広い江戸の八百八町に八百八講があり、至るところに富士講の信仰グループができました。講のメンバーになると、みんなでお金を出し合って、富士山に登れる体力のある人に託します。登った人が持ち帰ったお札や「気」をみんなで分配していただくわけです。民間信仰という名の「共助のシステム」をつくりあげました。当時は最大で1シーズンで2万人もの人々が、富士山を訪れたと言われています。

今は、この洞窟に入ることはできませんが、長谷川角行が苦行の末に入滅したとされる洞窟の周辺には、富士講信者が約230基もの碑塔を造立しました。それが残っているのが「人穴富士講遺跡」です。ここはまさに富士山を代表するパワースポットです。富士山に登る前でもいいですし、何か自分を力づけたいときには、ぜひとも、訪れてほしい場所です。

富士山に登ることができない人々や、見ることができない土地に住んでいる人が富士山を見ながら、あるいは心の中の富士山を拝むのが「遥拝信仰」です。富士山自体が神が宿るご神体です。そのことを強く体感できる遥拝所というものがありますが、その代表が富士宮市にある「山宮浅間神社」です。富士山本宮浅間大社の社伝によれば、山宮浅間神社は、富士山本宮浅間大社の前身であるとされています。そんな由緒正しい山宮浅間神社には社殿はありませんが、富士山の方向に向けて石の列が並び、その向こうに富士山が見える遥拝所が設けられています。

このような配置は、富士山を遥拝する古式の祭祀の名残だと推定されています。実際に境内の発掘調査では、神事に使用されたものとされる12世紀くらいの土器が出土しています。ここからは正面に、富士山の全景がきれいに見えますので、本当に心が洗われます。

コンビニ越しに富士山を眺めるのとはレベルが違います。

昔の人が富士山に思いを向けた信仰心というものを実感できる場所です。ここまで紹介した2つの構成資産は車で移動すれば20分くらいです。富士山の信仰性が強く感じられ、日々の生活でささくれ立った心を鎮めることができますので、巡ってみてはいかがでしょうか。

もう1つは、河口浅間神社（山梨県南都留郡富士河口湖町）。864年（貞観6年）の貞観の大噴火を鎮めるために、朝廷が、富士山がよく見えてその力に負けないパワースポットである場所を探した結果、噴火の翌年に建立された神社です。富士山の神様である浅間大神が祀られていて、その社の上部には浅間神社の役割を表す「鎮爆」という文字が書かれた看板が掲げられています。

神社の目の前から見下ろしたところに富士河口湖があり、その向こう正面に富士山が見えます。富士山と一線上にあり、完全につながっているかのようです。富士山のパワーを直接感じ取ることで畏敬の念と尊敬する心が生まれ、噴火の怒りを鎮めていただくものです。その畏敬の念の表現として富士山を拝む。そうすることで人間として清く正しく生きられるようになるという「鎮爆の思想」が始まった神社です。

境内には樹齢1200年以上の七本杉をはじめとした大木・巨木があります。木のそばには、富士山からの地下水が湧く池があります。私は、この大木・巨木の根元付近に、中国人の風水師を連れて行ったことがあるのですが、体を大きく震わせながら、ここは富士山に負けないパワースポットだと話していたことが印象に残っています。

以上、富士山への信仰心が湧き立ち、底知れぬパワーを感じ取れる、世界文化遺産の代表的な

「3つの構成資産」を巡られることをお勧めします。

富士山の森を歩いて命を育む自然力を楽しむ

富士山の五合目までを覆う豊かな森は、富士山の自然環境の魅力を教えてくれます。静岡県の水ヶ塚、西臼塚の駐車場までバスあるいは車で行って、その周辺を散策する。または、山梨県の青木ヶ原から少し登っていくとシイやカシなどの照葉樹林が広がる「丘陵帯」が始まり、ブナ、ミズナラ、アカマツなどの落葉広葉樹林の「低山帯」、シラビソ、ダケカンバ、カラマツなどの針葉樹林の「亜高山帯」へと続きます。丘陵帯までは、スギやヒノキの人工林が多く見られます。

五合目から、森林限界を超えて頂上までが「高山帯」です。ところどころに背の低い低木類が低温や強風、不安定な火山砂礫の地面に耐え生きています。富士山の「植物相」は、この4つの区分があり、植物とシダ類を合わせ約1200種類が生息しています。

富士山の五合目のエリアは、森林や動物の密度は日本一だといわれています。哺乳類は日本で暮らす約100種類のうちの42種類が確認されており、ニホンカモシカやヤマネは天然記念物でカモシカは山梨県の獣です。広葉樹林帯には、ニホンイタチ、ニホンリス、ムササビ、コウモリなど、針葉樹林帯には、オコジョ、ツキノワグマ、テンなどが暮らしています。夜行性のものが多く、実際に姿を見かけることは難しいです。

また、鳥類は山梨県の鳥であるウグイスや静岡県の鳥でジュビロ磐田のエンブレムになっているサンコウチョウなど、100種類以上が繁殖しており、日本野鳥の会の調査によると、渡り鳥を入れると約170種類が確認されています。日本の豊かな自然が円錐形の富士山に命の帯のように、密度濃く集まり広がっているのです。そして高度によって垂直状に種類を変えていきます。この豊穣な森こそ、富士山最大の財産といえます。

ところが、もったいないことに多くの来訪者が目指すのは、「はげ山」の頂上ばかりで、新緑や紅葉が美しい多くの期間、森は閑散としています。富士山が世界遺産に登録され注目されるようになっても、数十本以上もあるといわれている裾野のフットパス（散策路）の整備や広報があまり進んでいないことが残念でなりません。

森は命を育む宇宙です。ミズナラは地面から吸い上げた水を、幹の表面近くの導管で枝や葉に速やかに運んでいます。幹に耳をつけてみると人の心臓の鼓動のような水の流れる音を聴くことができます。また、ブナは冬には葉を落とし、次の森を形成していく若芽や低木に光を与え成長を促し、夏には葉を大きく広げて、大雨による地面の浸食や乾燥を防いでいます。

富士山の豊かな地下水は、これら森の保水力のおかげです。自然の奇跡のような生態系の循環と共生関係を味わえるのも富士山の魅力です。それほど高くまで登る必要もないので、気軽に楽しめます。

このように、五合目や山頂だけが富士山ではありません。113ページで富士山エコネットの藤井正明さんも富士山の自然の魅力を紹介しています。

富士山の魅力が感じられるスポットは、まだまだたくさん点在していますので、読者の皆さんのお気に入りの場所を探してみてください。そうすることにより、富士山を訪れる人たちも分散化され、入山規制や入山料を取る必要もなくなります。2024年から集め始めている入山料は、富士山の多彩な魅力を守り、日本だけでなく世界中に広報するために使ってほしいものです。

NPO・市民・企業・行政の力を結集すれば難題も解決できる

私はこれまでに、9つのNPO法人の事務局長を務めてきました。最近の地球温暖化による影響は、気候変動といった簡単な言葉では表現できない、激しい自然災害の形で人々を襲い始めています。今まで、とにかく、環境保護・保全に的確に対応せず、経済活動を優先した結果として、自然災害が起きていることに多くの人々が気づき始めています。まさに、行政や政治の発意と施策の限界、企業の利権優先の姿勢に限界が訪れ、これといった効果的な解決策を見いだせない混乱の時代となっているのが現実の姿といえます。

その中で、着実に地域に実績を積み重ねてきているのが、NPOが仲介役になった、NPO・市民・行政・企業などとの「連携と協働のネットワーク」です。私が1997年にNPO法人「富士山クラブ」を立ち上げたときは、富士山登山の人気が次第に高まり富士山に多くの来訪者が訪れることにより、さまざまな環境被害・環境問題が発生し始めた時期であり、満身創痍の「傷だらけの山」への変質が問題視され始めた頃でした。

「傷」とは、ゴミの放置、し尿の垂れ流し、産業廃棄物の投棄、放置森林の拡大、オフロード車の進入、ゴルフ場の乱立、乱開発の進行、湧水の汚染と減少、酸性雨と立ち枯れの拡大、動植物の減少、溶岩洞窟の破壊などで、「環境破壊のデパート」「日本の環境問題が凝縮する負の展示場」といえる、出口が見えない厳しい現実が横たわっていたのです。

その問題解決に向けて市民力を結集し、新たな自然保護活動を展開するために立ち上げたのが富士山クラブであり、成果を上げたのが、1999年から富士山の五合目と山頂にバイオトイレを設置した運動でした。

熱意ある大阪の企業の社長さんと行政経験と市民力を備えた富士山クラブとの連携と協働により成し遂げたものです。バイオトイレの開発・設置認可までは困難も多々ありましたが、いかにして市民の行動力と執念が問題解決の推進力になったかについて紹介します。

バイオトイレに賛同した市民の力で杉チップを大量に運搬

600人が山頂まで登った「生命の水運搬ボランティア」

富士山頂に設置した完全循環型バイオトイレはいっさいの汚泥は発生せず、杉チップ内に付着したバクテリアの働きによって、し尿が炭酸ガスと水に完全に分解される機能を持っていました。装置内を水が循環することによって、し尿を処理する「自己完結型・ゼロエミッション（廃棄物排出ゼロ）システム」です。設置初年度からマイナス30度の極寒の気象条件にも耐え、2年目は1年目よりも活発に稼働したくらいでした。

空気が希薄な富士山頂で、1日に何百人ものし尿を分解処理するためにバクテリアが必要とするものが「水」です。まさに、バクテリアにとっては、水は「生命の源」といって大切なものです。水の中に含まれる酸素を吸収することによって、し尿に含まれる有機物を分解処理するものです。高所による酸欠状態と相まって、次から次へと投入される富栄養分のし尿を効率的に分解するためには、継続的な空気の供給と新鮮な水の循環が欠かせません。

そこで活躍したのが「生命の水運搬ボランティア」でした。2年目の2001年には、なんとボランティア募集に賛同していただいた人々が、延べ600人。富士山頂まで運搬した水の総量が約700リットルになりました。それぞれ1リットル・2リットル入りのペットボトルと杉チップをリュックサックに積み込んで、山頂まで運んできてくれました。

私も、2001年の8月3日から5日まで山頂にいましたが、いくつものグループの人々から水を受け取らせていただきました。参加者からは、「バイオトイレの設置で富士山を本当にきれいにしてほしい」「水を運ぶことで富士山が美しくなると聞いたから運んできた」「NPOによるバイオトイレの運営を水運びで支援できると聞いて運んできた」「漫然と登山するのはつまらないから、水運びのお手伝いを兼ねてきた」といった声や、「富士山クラブの問題だけに終わらせたくないから、自分も問題を共有するために水を運んできた」「し尿処理問題をチップを支払うことで終わりにしたくないから水を運んできた」「毎年富士登山をしているが、意味・意義を持たせたくて水を運んできた」「皆で協力して富士山の環境問題を解決する手法を素晴らしいと感動し、その意思表明で水を運んできた」など、水運びボランティアに参加・支援していただいた多くの人々の意見・感想は、私にとっては感動的で示唆に富むものでした。お会いした方々には、感謝の言葉とともに、富士山クラブの考えているバイオトイレの提案やその仕組みについて、誠心誠意、説明させていただきました。

行政の手法は、補助金を付けて、事業者責任としてトイレの改良を実施させることです。「富士山は、美しくなった、行政はしっかりと問題に対応した。すごいだろう・文句はないだろう」と結果報告することは、行政にとっては、当然のやり方だと思います。

しかし、それで終わってしまっては、次から次へと同じような問題は起きてきますので、根本的な問題の解決にはなっておらず、対症療法的なやり方といえます。

当時、バイオトイレ設置の中心的役割を担った富士山クラブや、後に私が設立したグラウンドワーク三島は、山頂へのバイオトイレの設置をきっかけとして、日本全国の山々のし尿問題について問題提起をしてきました。し尿だけの問題として対応しないで、富士山や自然環境が抱えているさまざまな問題を国民全体に対して「負の情報」として伝え、人々の問題意識の醸成と問題解決に向けたネットワークの構築を誘発する運動をしてきました。問題と現実を共有し合うことによって、相互に仲間意識が生まれ、「新たなる知恵の結集と行動の誘発」が起きてきます。普遍化していきます。

富士山の問題が、富士山だけの問題ではなくなり、各地の環境問題と関連づけられ、課題解決に向けて一丸となった「融合力・全体力」を増幅していきます。皆で問題を解決していこうとする姿勢と行動が、創意工夫を生み出し、バイオトイレの設置に関わり、その後も「水運びボランティア」や「杉チップ運搬ボランティア」に参加してくれた、延べ2000人近い全国各地の人々の行動と思いを考えると、この仕組みの効果が、実証・構築されたものと評価しています。

企業とともに環境改善運動を展開

市民との連携だけでなく、企業を巻き込むことは問題解決には必要なことです。富士山に関して、それが顕著に表れたのはスキー場照明から生じた「コウモリへの影響」です。

実は、富士山の裾野に位置する、ある企業経営のスキー場が24時間営業だった頃がありました。そのことにより、地域に何が起きたと思いますか？　コウモリが栄養失調で死んだのです。コウモリは眼が見えませんが、自分である一定の波長の超音波を出しながら飛んでいます。ぶつかって戻ってきた超音波の波長によって、障害物やエサになる獲物などを感知しているのです。その自分が出す波長と、照明の出す波長が合ってしまうとコウモリは昼だと錯覚して洞窟から出てこなくなります。

24時間営業していたゴルフ場の照明が発する波長が、コウモリの超音波の波長と合致したことにより、夜にエサが捕獲できずにコウモリが餓死してしまいました。コウモリは農業にとっての害虫をエサにしていますので、いなくなると農薬が必要になってくるという思わぬ影響も出ました。

あまりにもコウモリへのダメージが大きいので、スキー場を経営している企業の社長にお願いして、コウモリが出す波長と同じ波長をカットしてある電灯に替えてもらうようにお願いしました。夜間照明の問題を企業側は理解して、すぐに対応してくれましたので問題は解決しました。

照明については、グラウンドワーク三島が、三島市に清流を取り戻した源兵衛川でも力を発揮しています。本会が中心となり、静岡県に源兵衛川を整備してもらい、川の水量や水質が昔のように復元しました。川の流れがきれいになるとホタルが戻ってきました。

しかし、公園内の街路灯の照明によって、夜になってもホタルが飛ばない問題が発生しました。ここでも、街路灯をホタルが感知できない光を発するホタル電灯に替えてもらうように三島市と話し合いを続けました。結果、２０２５年度から試行的に順次、ホタル電灯に替えていくことになりました。

このように企業や行政に対して、生き物への照明の悪影響を科学的に説明し、理解してもらい、具体的に協力してもらう。企業側も社会貢献ができるわけですから、連携と協働の輪の中に入ってもらうことは可能です。そのような新たな関わり方を創り出すのが、NPOの役割です。そうして協働の輪ができれば、生き物を含めて関係者が「ウィンウィン」の共存共栄の関係になれます。

富士山の課題は日本の課題

私は、日本政府や関係各所の富士山の世界遺産の登録運動に関わり、富士山の状況に対して強い危機感を持ち、問題を解決するための提言を行い、時には、これまでに述べてきたような行動を起こしてきました。

注目される観光地の常ですが、富士山も世界文化遺産登録後の皮算用で、地元や経済界から経済効果を強く期待する声が上がりました。美しい自然を守ることと、観光による経済効果のバランスを取ることには難しいかじ取りが必要になります。

現実的には世界文化遺産登録の目的が「開発の抑止」であるように、開発を規制しないと、間違いなくその美しさや価値は毀損されます。今の富士山をどのような「セーフティーネット」を施して次世代に引き継いでいくのか、その総合的・長期的な政策立案と課題解決への具体的な仕組みづくりが必要になりますが、その体制は、当時から不十分でした。

例えば、管理体制の一元化を担う「富士山庁」の創設（富士山は静岡県と山梨県の2つの県と10の市町村にまたがり、国の管理者も文化庁、環境省、国土交通省、林野庁、防衛省などと複雑化しており包括的な責任者が不在）、富士山圏域の総合的な管理規範である「富士山立法」の制定（文化財保護法、自然環境保全法、森林法など多様な法律が重層的に重なり合い超越的な法律がない）を提言してきました。

しかし、これらはいまだにまったく実現していません。実はこれまで2度、実現の一歩手前までいったことがあります。1度目は、三木武夫元首相が環境庁（当時）長官だった時のことです。富士山を全面的に保護することにつながる環境保全のための7つの法律を1本に束ねて、国会に提出する準備ができていました。三木さんは当時、水俣病やカネミ油症事件などの公害が頻発してきた社会状況を踏まえ、1973年に「環境白書」を発表します。

白書の刊行に当たって、三木さんは次のように述べています。

「水銀、PCB（ポリ塩化ビフェニル。加熱によって強毒性のダイオキシン類に変化）などの蓄積性の汚染や生活利便追求のもたらす財やサービスの使用・利用、廃棄に伴って生じる汚染は、複雑で根の深い問題になっています。

今後、我が国がこのような環境問題を解決していくに当たっては、これまでの経済成長や地域開発のあり方などの反省に立ち、環境保全を何よりも優先するという理念のもとに、失われた環境の回復と新しい問題の未然防止のために、あらゆる英知と努力を傾けていかなければなりません」（第2回「環境白書」刊行に当たって）。

まさに時代を先取りした卓見だと思いますが、前年に刊行され大ブームになった田中角栄元首相の『日本列島改造論』の前にかき消されてしまいます。

2度目は、2013年に富士山が世界文化遺産に登録される前に、富士山議員連盟が「富士山立法」の法案を作ったときです。これは法案を作成している間に、当時、法案提出を進めていた民主党政権が崩壊したことと、世界文化遺産登録による富士山ブームによって、雲散霧消してしまいました。

富士山だけではなく、自然を恒久的に守り、次世代に伝えていくことは、そこから恩恵を受けてきた人類の使命です。もっと卑近なことで言うと、これまで紹介してきたように観光地としての価値を毀損しないためにも、自然をそのままに残すことは欠かせないことです。

そのためにも複雑多岐にわたる管理者の体制や法律を一つにまとめる施策が必要なのですが、現在の日本の政治家や行政の能力では、多くの利権・利害・思惑が絡み合い、残念ながら抜本的な改革は難しいと思います。やはり市民やその力をバックにしたNPOが、先導・改革していくしか打開の道はありません。解決のための新たな手法としてニュージーランドのトンガリロ国立公園で実践している「パートナーシップ制度」が考えられます。

高齢社会の今こそ、競争ではなく共助のシステムを

第1章で述べた、NPO・市民・行政・企業との連携によるパートナーシップは、環境保全の一つのキーワードになっています。行政が一方的に政策を市民に押し付けるのではなく、市民と

幅広く長期間議論しながら政策を作り上げていく、お互いに恩恵が行き渡るようにする仕組みを創り上げることは「共助のシステム」です。

パートナーシップが日本でできないということはありません。日本は江戸時代までパートナーシップ国家でした。基本的には身分制があって、社会の役割分担が明確化していましたが、後期にはその枠組みも緩くなり、身分を超えて共助の仕組みができていきます。

みんなが貧しかったと思いますが、それぞれが社会的な役割を的確に果たしながら共助の知恵・共助のシステムを創ってきたのです。子どもたちは寺子屋で読み書き、そろばんなどの社会を生きていくための基礎知識の教育を施されていました。その教育システムのおかげで優秀な人材が各地方で育ち、日本の変革・発展を先導するトップリーダーに成長していきました。

富士講のシステムも共助のシステムの一つです。生きていく中で生じる悩み苦しみを富士山に登ることで癒す。全員は登れませんから「講」のメンバーが、お金や食べものを持ち寄り持たせて託す。そして登った人は富士山から持ち帰ったご利益を下山後にメンバーに分け与える。富士山を愛してやまない私が現代の日本で共助の思想、パートナーシップを蘇らせようとしたのが、NPO法人の「グラウンドワーク三島」です。

人口が減少し、あらゆる面での発意と行動のパワーが落ちている日本においては、人々が対立したり、利害関係だけで結びついたりするのではなく、協調・共生・連携の方向への意識改革をする必要があります。経済が苦しくなってからは、逆に人材や資金、政治力を集中して自分たちの組織だけが競争に勝てばいいという動きが散見されますが、それでは国力がやせ細り、結局、共倒れになるのが関の山です。

富士山登山鉄道計画も経済的メリットを優先しており、富士山に対して、そのしわ寄せ、悪影響が懸念されるわけですので、共助の思想を基に新たな協働の仕組みを創る必要があります。この成功モデルが、私が主導するグラウンドワーク三島の活動にあります。

かつて「水の都」といわれた静岡県三島市は、富士山からの湧水が減って、水辺を中心に街がどんどん汚れていきました。そこで、私は静岡県庁の仕事をしながら、１９９２年にグラウンドワーク三島を立ち上げ活動を開始しました。

グラウンドワークとは、１９８０年代に英国で始まった実践的な環境改善活動です。住民が行政や企業とパートナーシップをとりながら、地域の環境改善活動に関わります。その3者の仲介役になるのが、トラストと呼ばれる専門組織であり、グラウンドワーク三島が、自然保護や保全、法律的な知識、生態学、行政的な政策などの専門的な知識を有する「中間支援組織」として、その役割を担います。

まずは、きれいな「水の都・三島」を取り戻したいと、市民主導により、市街地を流れる源兵衛川のゴミ拾いを始めました。しかし、ゴミだけ拾っていても抜本的な環境問題は解決しません。

そこで、バラバラだった20の市民団体を1つにまとめ、地下水を汲み上げている地下水利用型企業に対して、他の川に捨てていた水質的に問題のない冷却水を源兵衛川に放流してもらうようにお願いしました。次に、静岡県による親水整備計画を事業化し、地元住民参加による自然を生かした親水公園化計画の策定と市民主体の維持管理組織の育成を図るなど、ＮＰＯ・市民・行政・企業によるパートナーシップの仕組みを創り上げました。この仕組みは、日本においては初めてで、先進的で画期的なものとして評価されました。

成果として、春に２０００匹以上ものホタルの乱舞が見られ、子どもたちの川遊びの歓声が響く、美しい水辺が再生されました。環境再生が観光振興を誘発し、１９９１年には１７６万人程度だった三島市への観光交流客数が２０１６年には７８０万人となりました。その結果、中心市街地が活性化して、大通り商店街の空き店舗ゼロを達成しました。

環境をないがしろにした経済優先の観光振興では、地域資源の発展性や可能性を奪い、後世にバトンタッチするための地域資源が傷つき、なくなってしまいます。

今後、山梨県と静岡県、そして国は、源兵衛川の環境再生の先進的なノウハウを学び、富士山再生に関わるパートナーシップ型の社会システムを創り、世界に誇れる環境保全対策を構築する必要があります。その体制づくりは、今後、日本が人と自然が共生した観光立国になるために、国内の美しい自然環境を維持していく、新しい国家的な仕組みとして有益な方策になります。

解決しなくてはならない多くの課題が山積みですが、グラウンドワーク三島による「成功モデル」が規範になれば、富士山でもバラバラな施策・混乱を収め、多くの利害関係者が一体化した、富士山圏域での「グラウンドワーク富士山」を構築することができると思います。

この仕組みが創設されれば、富士山はひとつになり、「日本・世界の公益財としてどのように守り伝えていくのか、富士山登山鉄道は本当に富士山の環境保全に資するのか、なぜ開発が必要なのか」など、地球規模での議論と検討の場を創ることができます。

利益優先の開発は結局、大きな利益を損ねる

現在、日本の市民運動のリーダーの高齢化が進行し、そのパワーが弱くなり、今後を見据えた持続可能な市民運動のあり方を創出できていません。グラウンドワーク三島においても、若者の地域参加・社会貢献活動への関心をいかに喚起して、参加者を増やせるか、どのように参加の動機づけをするのかが大きな問題です。

日本が観光産業を本気で世界に冠たるもの、先んじたものにするのであれば、富士山観光としては、来訪者をどのように呼び込み、どんな観光的なサービス、おもてなしをするのか、観光業の未来像の創造に関わる、長期的・包括的な戦略が必要になります。

そのうえで、観光資源として大切な富士山を傷つけないで、どう付加価値を向上し、魅力的な観光振興の仕組みを構築していくのか、その具体的なやり方をどのように構築していくのかの議論が必要とされています。

環境省が観光地や国立公園をさらに高付加価値化するといいますが、まずは、その地域が内在している優位性、他の観光地と違う魅力や資源があるのか、それを発展させることができる可能

性があるのかの「可能性調査」が必要とされます。

多様な情報を収集し、整理・分析・評価・検証しないと、長期的な視点から見た「観光戦略プラン」は立案できません。１４００億円もの巨額の投資や人命への危険をおかして無理に富士山登山鉄道を建設したりするようなことは、今の富士山で必要とされていることではなく、的外れな行政の暴走といえます。

観光戦略プランや長期的視点に立った観光資源の有効利用には、常に、人と自然の共生の原理が前提になっています。その思想と哲学が、長期的に見たら地域の利益として後世に連動していきます。

「政治は常に利益優先を考え自然を壊すことを厭わない」というような言われ方をしますが、それはとんでもない間違いです。無分別な開発は、結果的には大きな利益を損ねることになるからです。開発のときは、土建業者や不動産業者に一時的に利益が流れ込むかもしれませんが、その時だけで長く続きません。中長期的な視点で見ると、その観光地の本質的な魅力が工事などにより失われるわけですから、客は離れて利益は損なわれます。

富士山の湧水を水源とする静岡県三島市の源兵衛川は一時期ドブ川と化していたが、市民の取り組みにより清流として再生

長期的な視点で物事を判断できれば、どちらの考え方が正しいか、長期的・持続的な利益を考えたとき、どちらが最終的に得なのかわかると思います。短期的な収益を目指すと、無理が発生して何かが犠牲になります。しかし、長期的な利益を目指せば、時間はかかりますが、その地域の本質的な魅力づくりに向けて努力することで、時代を先取る観光地として観光客は増加し、大きな利益につながります。しかし、現実的には、他の観光地にはない差別化された優位性の高い、観光プランを立案しなければなりません。

もっとも大事なこととして、足元の資源がどの程度発展性があるのか、お客を呼べるだけの魅力があるのかを研究し、その価値と多様性に応じた観光プランを発意していかなくてはなりません。投資と利益の回収、さらなる投資と発展性、利益の回収など資金循環のシステムを構築できるのか、投資家・観光業者に結果的に利益が確実に分配されるのかといったビジネスプランを策定しなくてはなりません。実現するための問題は、実際誰がその事業を担うのか、リスクはどうなのかなどの観光振興マネジメントの立案が必要になります。

今後、第1章で述べたように、最先端の自然保護や観光振興策を富士山周辺の観光地で取り入れたときに、世界と勝負できる観光産業が日本に誕生することになると思います。

そこには、NPO・市民・行政・企業とのパートナーシップによる協働作業が必須です。そのような社会システムを構築し、機能させることができれば、当然、富士山登山鉄道計画の必要性は否定されて中止になると思います。

万が一、富士山登山鉄道計画の実現への道筋が整うとしたら、日本人が人と自然との共生の思想と哲学を捨てたことになり、富士山が日本人の「根本神・根本心」なのに、富士山を守り、救えない日本人の恥を世界にさらすことになります。

この愚行だけは止めなければなりません。今、日本人の本質性を取り戻すための私たちの総力を結集した取り組みが求められています。

緊急座談会

「富士山を壊すのは誰？」

渡辺豊博
村串仁三郎
大山昌克

当初、富士山登山鉄道建設を推進していた富士急行社長が反対を表明

大山　山梨県民がなぜこんな無茶な計画を公約に掲げた長崎幸太郎山梨県知事に投票して、再選させてしまうのか不思議でしょうがない。「富士山登山鉄道計画」は、2023年の県知事選挙に立候補したときの第一の公約でしょう。

渡辺　当時、山梨県民も本気でやるとは思っていなかったんでしょうね。実際に今でもできるとは思っていないかもしれません。しかしそれは、認識が甘いと思います。

村串　山梨県民の富士山登山鉄道に関して、地元紙の山梨日日新聞が2019年に行った世論調査があります。それによれば、「富士山登山鉄道構想」に対して「反対」が42・4%、「賛成」が21・6%、「どちらともいえない」が28・6%です。反対がいちばん多いのと、次に多いのがどちらともいえない、つまり判断できない、わからない人が多いのがこの回答の特徴

かと思います。

渡辺　それは当然でしょうね。鉄道開発計画の主体である山梨県は、いまだに工事費を含めた全体計画の詳細な説明を県民に対してしていません。総事業費1400億円の負担を誰が負うのか、こんな危険な場所に鉄道を通すことのリスク、運営を担う鉄道業者、自然破壊の影響など、肝心な点についての説明から逃げています。

山梨県知事の政治的なパフォーマンスだけが目立っています。それと、この鉄道開発計画の背景には、富士山周辺での利権の地殻変動があるのではと推測しています。

村串　富士山登山鉄道は、そもそも富士急行がやりたかったことですよね。

渡辺　そうです。以前は、富士急行が東京オリンピック開催に向けて、社運をかけ、この鉄道事業の実現を推進していました。実は、富士急行が設立されたのは「富士を世界に拓く」の創業精神のもと、1926年に富士山麓電気鉄道株式会社を設立し、1929年に大月から富士吉田間で鉄道事業を開始したことから始まります。その鉄道構想の中に、富士山麓一体を世界的な観光地にすべく、富士吉田から富士山五合目まで鉄道を通す計画もあったのではないかと思います。

目標にしていた2020東京オリンピックがコロナの影響により1年間先送りされました。それまでに諸般の問題が解決できず、富士急行としては、鉄道事業の経済的なメリットや現実的な実現の見通しが不明確だと判断し、あわせて、堀内光一郎社長は環境保全への意識の高い人でもあることから、最終的に撤退・断念したのではないかと考えています。

村串　確かに、2021年には、堀内光一郎社長は、富士五湖観光連盟会長の立場として、富士山登山鉄道の推進に対して明確に反対の意思を表明していますね。

渡辺　堀内光一郎社長は、富士吉田商工会議所の会頭で富士五湖観光連盟の会長、富士急行の社長です。

富士山登山鉄道構想の交通部会には、小田急電鉄と京王電鉄、東海旅客鉄道が入っていると聞いています。ここからは私の大胆な推測ですが、これまでの富士山地域での権益には、小田急電鉄や京王電鉄の参入は難しかったのではないかと思います。今回の登山鉄道事業に関して、この私鉄2社のどちらかに鉄道事業者になってもらう狙いがあるのではないかと思います。ＬＲＴの建設・敷設や運営管理などは鉄道事業者じゃないと対応できませんからね。

大山　いろいろな利権がうごめいていますね。

富士山の話に戻ると、入山料の問題がありますよね。なんで同じ富士山で金を払うところ（山梨県側）とそうでないところ（静岡県側）が出てくるのかよくわからないですよね。

渡辺　山梨県と静岡県で対応がバラバラです。富士山はひとつなのに、政策的な統一性・一体性に欠けています。これは行政のその場しのぎの思いつき対応の表れです。

静岡県は、ネットで登録するだけですが、山梨県は4000人を超えたら入山規制するので登れません。16時から翌午前3時までの間の入山はできなくなりますから、私の予測では、登山者が山梨県側に4000人も来なくなり登山者は減少すると思います。

大山　私は減った方がいいと思いますが。

渡辺　そうですね、減るのはいいのですが、山小屋の経営者は減収になり困窮すると思います。宿泊だけではなく、休憩時の飲食の売り上げも減ります。

大山　鉄道計画では、富士吉田口五合目での再開発事業の話も出てきましたから、旅館とか、ホテルを新しく建設するということになるのでしょうか。

渡辺　現在までの登山者の動向・内訳を調べてみますと、富士山登山者の60%が弾丸登山です。富士山は、そもそも弾丸登山の山なんです。登山者がいちばん多い日で、1日1万2000人近くのときがありました。山梨県側で、8月上旬・登山シーズン最盛期で1日7000人から9000人の人たちが登りますから、今回の4000人では、その半分程度になっています。

今回の山梨県側の登山規制を避けて、静岡県側に回って来たら、今度は、静岡県側の登山者が急増して、オーバーユースの問題や登山事故が多発すると思います。

すなわち今回の山梨県の入山規制と入山料の徴収の目的が、不明確です。山小屋の経営悪化が加速し、静岡県側の危険度が増します。両県が話し合い、統一した規制策を整備すべきだと思います。登山者が減れば、環境は守られるのか。なぜ規制人数が4000人なのか、再開発の内容も含めて明確な根拠と説明がないままに、富士山で生活・営業している人たちの生活権、営業権を侵害していいのか、徴収する入山税の使い道もよくわかりません。
私も静岡県庁の役人をやってきましたが、こんな乱暴な思いつき的な規制策を、山梨県の役人はよく堂々と進められるなと思います。法的根拠や今後の事案発生が予測される損害賠償請求裁判、個人の基本的人権への侵害、静岡県の施策との不整合問題などに対しての確固たる対策ができているのでしょうか。

富士山が目先の利益のターゲットとして扱われている悲しい事実

大山　この問題が山梨の県議会や富士山における適正利用推進協議会で問題にならないのが、不思議でしょうがないです。

渡辺　この富士山の五合目での入山規制などを検討・議論する、「富士山における適正利用推進協議会」については、私はその役割がよくわかりません。

大山　「〇〇適正利用協議会」というのは、環境省がよく使う言葉ですね、尾瀬の場合もありました。尾瀬の場合は、そういう話し合いの場が50くらいありました。中味が、それぞれ少しずつ違います。名前はみんな、何とか適正利用協議会となり、動かしているのは環境省です。

渡辺　富士山に関わる行政組織はたくさんあり縦割りになっています。環境省は国立公園・富士伊豆箱根の範囲を管理しています。富士山の特別名勝地の範囲は文化庁、国有林は農林水産省の林野庁と複雑です。尾瀬や屋久島のように、環境省や林野庁がイニシアチブを取る体制にはなっていません。

村串　たぶん、富士山の場合、環境省は、県などから提案された議案に対して、強い発言や指導をせず、認めるだけの組織になってしまっていると思います。

渡辺　結局、山梨県も静岡県もそうですが、県民・市民・NPO・専門家なども含めて、富士山に関わる検討会には参加できず「蚊帳の外」です。しかし、この検討会での議論は日本国民、いや、世界中の人々・観光客にも関係する大切な問題です。

　協議会のメンバーを見ると、富士山の実態・現場をあまり知らないメンバーを集めているように見えます。それらの人たちが「入山規制が必要です」なんて言っていることから「何をいまさら議論しているのか」とその能天気さに呆れます。規制が必要なことは当然のことであり、それらの対策を包括的・一元的にやらないと実効性の高い結果は期待できません。

村串　入山規制の前提になっている、登山者数の数字もいい加減なんですよね。

渡辺　今回の本の中では、登山者数のカウントの不正確さを述べていますが、五合目までの数字も正確ではないと思います。五合目にある施設で数えていると思いますが、混み具合を目視するだけです。野鳥の会のように双眼鏡を使って数えてもいません。

　登山客・来訪者の数字が、こんなに不正確な国立公園を私は知りません。アメリカのマウントレーニア国立公園やグランドキャニオン国立公園では、国立公園の入口にゲートがあり、入山料を徴収するとともに、車の台数と乗客数をカウントします、バスはバス会社が乗客数を公園に報告します。

富士山ではこれらの入山客の適切な管理システムが未整備であり、登山客数の調査・把握もセンサー付きのカウンターを使用しており、不安定で信頼度は低いです。

こんな人数把握が不十分な山は、世界でいちばん危険な山であり、世界でいちばん無秩序な山といえます。今回の山梨県の入山規制、ただの政治的パフォーマンスです。

村串　入山規制に関しては、ようやく専門家も「富士山の全体管理を考えたときに方向の統一性を目指すべき」と発言するようになりました。登山鉄道に関しては、富士山八合目から上の所有者である浅間大社の宮司さんも強く反対の声を上げています。

渡辺　富士山は、どんな山なのかということを、今の日本人はよく知らない、学んでいません。富士山は世界文化遺産として登録され「信仰・芸術・景観」の3つの価値が認められたものであり、昔の富士山のあれこれの価値が評価されたものといえます。

富士山の本質性・多面的な価値を理解すれば、こんな中途半端な入山規制や乱暴な開発行為である登山鉄道を実施する必要性がないことがわかるのに、富士山の歴史や価値が教えられていないために、おかしいと思わないのです。

私がいつも主張しているのは、日本人の「根本神」は富士山であるということです。「しん」は「神」と書きますが、実際は「心」だと思うんです。古来、日本人が持っていた、人と自然が共生する教えを忘れて、古来の自然とともに生きる、自然を大切に守り伝えていく日本人の物を思いやる優しい「心」を捨てようとしているわけです。

村串 目先の利益しか追っていないということですね。登山鉄道に関しては、本当は目先の利益にもならない愚行だと思いますが。

大山 鉄道開発では1400億円の予算を見込んでいますが、五合目での再開発事業の費用は入っていないので、今後、予算追加の話が出てくると思います。

渡辺 五合目での開発事業に関しては、以前にも計画がありました。五合目駐車場を5階建てに増設するというものです。敷地の谷間に杭を打って、駐車場を谷間の方にせり出して5階建てにする計画でした。

大山 平地にあるような巨大なモータープールですね。

渡辺 われわれが反対運動を開始したら、杭を打つ谷間に周辺の駐車場から流れてきたゴミや誰かが捨てた産業廃棄物などが大量に堆積していました。そのゴミ捨て場の恥ずかしい現場の写真を撮り、報道機関に提供して、来訪者のモラルの問題や谷間の滑りやすい特性などの危険性を指摘・広報しました。

大量のゴミの堆積問題とともに、そんな危険なところに駐車場を建設したら、地滑りの発生が危惧されるという危険度もアピールして建設計画を中止させることができました。その後、五合目の駐車場は、以前の駐車場を少しだけ拡幅したものになりました。

イコモスは登山鉄道の是非をどう判断するのか

大山　そもそも、世界文化遺産登録を審査するイコモスは、世界文化遺産に登録された範囲において、大規模な開発行為を行う今回の登山鉄道計画に対して、どのように考えているのでしょうか。

村串　2023年6月21日に読売新聞が「日本イコモス国内委員会の岡田保良委員長は、『開発が環境に与える大きな影響など慎重に評価する必要がある』との見解を示している」と報じています。

つまり、鉄道計画が、富士山の環境に大きな影響を与える恐れがあるので、安易にイコモスの公認を得るのは難しいとの判断でしょうね。

渡辺　富士山に関わる「包括的管理基本計画」は、2013年の世界文化遺産登録後にイコモスから策定するように勧告されています。いわゆる、今後の富士山に関わる環境保全のあり方を示す「環境マネジメント」です。

しかし、今も包括的管理基本計画はその役目を果たしていません。突然に入山規制を実施するなど、思いつきのパフォーマンスをやるばかりです。イコモスもひどい話で、勧告に対しての日本側が提出した不完全な回答を認めてしまった。この登山鉄道の工事についても、イコモスは許可を出してしまう恐れがあります。

村串　東京の神宮外苑再開発には、イコモスも反対の動きをしていましたが、富士山登山鉄道は、神宮外苑の問題とは違います。富士山登山鉄道は、大山さんが第6章で述べられたように国策も絡んでいます。神宮外苑の開発も、自然や景観より開発優先という意味では同じですが。

渡辺　世界文化遺産の登録運動の関係で、私もパリ本部に行ったり、ユネスコにメールを送ったりしましたが、こちらの意向を、きちんと伝えれば理解していただけると考えています。まずは、現実的な問題に関して根拠をもった説得力のある資料を作り、論理的に問題点を訴える、そして伝える必要があります。

極論を言えば、関係者がパリに行き、担当者に現状と問題点についてプレゼンして、富士山登山鉄道によって世界文化遺産の富士山が毀損されると判断されたら、イコモスが動く可能性があります。イコモスが登録の認可を出したわけですから、認可を出した側の見識が問われます。これを認めたらイコモスなんてこんないい加減なものかと思われますので、富士山の実情と問題点をわかりやすく説明すればいいと思います。

村串　こちら側の理論武装は当然、必要ですね。例えば、勾配性の問題、安全性の問題、いちばん大事なのは、国民の賛否の意思の明確化・合意形成の取得です。

渡辺　反対するには、その論拠と問題点をわかりやすく説明する「専門委員会」の設置が必要になります。富士急行が断念したのも、安全性の問題で対策費などが膨大な金額になり、採算が取れないという判断があったのではないかと思います。

長年、会社の創業精神にしてきたものを途中で中止したのですから、よほどの問題がなければ止めないと思います。あるいは、工事施工や安全対策などで、富士山を大きく傷つけることが判明し、批判に耐えられないという理由があったかもしれません。

今の事業計画を分析すると、ＬＲＴの最急勾配率が一般的には限界を超えています。そもそも20キロメートル以上の連続勾配走行や極寒での走行事例は海外でも確認できないと、計画書にも書いています。

尾瀬の道路開発を断念させた大石武一元環境庁長官

大山　これ以上、富士山を壊して、何をしたいんだと思いますね。
イコモスに言われる以前に、絶対ストップさせないといけないと思うけど、地元の山梨県の皆さん、少しは考えてくださいと切に願います。この知事でいいんですかとね。

渡辺　「富士山を壊すのは誰か？」を問う前に富士山は誰のものでしょうか、ということが大きな疑問としてありますよね。富士山は日本人全員のものだと思うんです、人間だけじゃなくて、動植物たちのものでもあります。
富士山が清冽な水を供給し、空気を浄化して、人間や動物にどれぐらいの恩恵と元気、心の安らぎを与えてきているのか。有形無形の無限大の貢献をしていると思うんです。ゆえに生きとし生けるもの全員の大切な「共有財産」だと思います。
山梨県だけの独占的な財産ではありません。富士山を壊して、削って、富士山登山鉄道を建設するということは、日本国民、いや生きものたち、全世界の人々の合意を得る必要があるくらいの大変な行為だと思っています。国民的な問題なのに、どうして国会で是非論が議論されないのでしょうか。国会議員は、山梨県で起きている国家的事件・問題を認識して、問題視しないのでしょうか。

村串 さっき、富士山登山鉄道は目先の利益にもならないと言いましたが、今回の問題は、その国民の共有財産である、大切な環境を破壊するすさまじい環境破壊行為ですよ。

渡辺 今の山梨県の現状は、大変、恥ずかしいことに「銭の山」としての富士山を、徹底的に利用してやろうという行政と観光業者などが結託した限りない欲の表れ、利益至上主義の結果です。

富士山観光は、地域経済の柱ですから、それを強化・振興することは否定しません。しかし、本来は、もっと長期的な視点を前提として、利益の拡大を考えるものだと思います。目先の利益、短絡的な利益の追求は、方法論として間違っています。

現在の「一点集中型観光のあり方」を止め、長期的な視点に立った「分散型観光のあり方」を検討する。自然保護や環境保全の対策に資金を投資して、その効果を評価しながら、ゆっくりと多様な施策を展開していく。

富士山の自然環境に過渡な負荷をかけずに、インバウンドにより世界中から訪れる来訪者に対して、安全性や快適性が提供できるように新たな富士山観光のスタイルを考えればいいのに、富士山登山鉄道を建設して山梨県側だけに来訪者を呼び込み、高額な料金を徴収して富士山に誘導しようとする政策は。山梨県側の独断的な愚行だし、環境対策や環境保全を名目にした「隠れ蓑」です。

大山 今、山梨県は県知事が先頭になり、各地で市民への説明会を開催しています。富士山学じゃないけど、観光的・環境的な側面だけではなく、地震や地質、火山災害、生態学などの専門家・先生などを呼んでの勉強会の開催も必要だと思います。

渡辺 確かに、多様な分野から検証した科学的根拠に基づいた問題点を正確に把握したうえで、今の危機的状況を知らしめないと、一般の人たちには理解できず、動きようがないですよね。「富士山に鉄道建設？　便利になるよね」くらいの認識だと思います。

村串 市民の力、判断力が弱くなっているからですかね。

大山 政治家の判断力もひどく弱くなっていますよ。多くの物事は、行政の意のままに動かされて、反対運動は潰されます。しかし、2代目の環境庁（当時）長官であった大石武一さんの場合は違っていました。1971年、尾瀬の道路建設に対する反対運動が盛り上がり、山小屋経営者らが、大石さんに反対の意向を直訴しました。

その意向を受け、大石さんも環境庁発足後すぐに、尾瀬を視察のために訪れます。新しくできたばかりの環境庁ですから、新聞記者が大勢来て写真と記事を大量に出していくと、世論が変わってきました。

大石さんはもともと医師で東北大の助教授でしたが、父が亡くなったので、急きょ跡を継いで政治家になりました。もともと植物が好きで生物学者になりたかった人です。

植物が好きだということもあるんでしょうけれど、尾瀬の大自然を目の当たりにした大石さんは、政治家としての自分の役割は何かということを考えて、道路建設は止めるべきだと判断します。尾瀬の開発計画は、当時、もうすでに閣議決定されていましたが、それをひっくり返したのです。

渡辺　それはすごい決断力と勇気ですね

大山　敵は当時、通産大臣だった田中角栄さんですから。そこと激しいバトルをやって、当時の佐藤栄作首相に直談判までして止めたのです。

「尾瀬の自然を守る会」は、一回なくなりましたが、翌年に、すぐに新しい会を設立して、その団体に私は今いるわけですけれども、直談判に同行したメンバーもいます。当時の写真を見てみると、大石さんが直談判をしている周りを若いわれわれのメンバーが取り囲んでいました。

大石さんの決断力、実行力もすごいと思いますが、そういう市民の若い力で、政治家を押し上げた、動かした部分もあるのです。

渡辺　今、大石さんのような決断力と勇気を持った政治家はいますかね。しかし、現実の問題として、そんな悲観的なことを言っていられない状態なので、今後は、市民・ＮＰＯ・専門家などが中心になって「富士山を救え」という会を立ち上げ、国民運動を胎動させていきましょう。私たちの具体的な行動と勇気が問われています。

あとがき——富士山を泣かせるのは日本人の恥だ

渡辺豊博

富士山は、２０１３年6月22日カンボジアのプノンペンで開催された、第37回ユネスコ世界遺産委員会において「世界文化遺産」に登録されました。「日本の宝物」が「世界の宝物」として国際的に認められた「証」といえます。多くの日本人が憧れと畏敬の念を持ち、秀麗な富士山を尊ぶ「心」が類いまれ、かつ普遍的な価値を持つ世界的な宝物として評価されたのです。

世界遺産は、１９７２年の第17回ユネスコ総会で採択された世界遺産条約の中で定義されています。２０２３年10月現在、世界遺産は１１９９件（文化遺産９３３件、自然遺産２２７、複合遺産39件）、条約締結国は１９３カ国です。現在、日本にある世界遺産は25件（文化遺産20件、自然遺産5件）です。富士山は17番目に登録されました。

登録の正式名称は、「富士山——信仰の対象と芸術の源泉」です。富士山が内在する「信仰」「芸術」「景観」の３つの価値が、ユネスコが定めるクライテリア（評価基準）に適合・評価され登録されたものです。この中で最も重要な価値基準は、「信仰の山」「神なる山」としての富士山の価値です。

富士山信仰の起源は紀元前にさかのぼり、度重なる噴火を鎮めるために、火口底に鎮座する神を「浅間大神（あさまのおおかみ）」として祀ったことに始まります。当時の日本人は、「荒ぶる山」で噴火を繰り返し天災や飢饉を引き起こす「恐ろしい山」として、富士山を信仰の対象にしました。

信仰登山としての「登拝」は、約1000年前から行われ、平安時代末期、山頂に寺院などが建立され、室町時代には日本古来の山岳信仰と密教などが融合した「修験道」の道場になりました。江戸時代には組織的に登拝を行う「富士講」が大流行し、多くの人々が富士登山を行うことになりました。記録では年間ピークで2万人近くが登山したといわれています。

登山者は、山梨県富士吉田市などに今も残る御師住宅（宿坊）に泊まり、富士山信仰と登山の案内役でもある「先達」の宗教的な指導のもと、白装束をまとい、「懺悔懺悔（さんげさんげ）・六根清浄（ろっこんしょうじょう）」を唱えながら、一合目から徒歩で山頂を目指したのです。現在は五合目まで車で容易に行けて、そこからの登山者がほとんどであり、古来からの富士登山とは大きく異なり、「観光の山」に変質してしまっています。

しかし、先人は、遠く江戸などから長い道のりと時間をかけて、徒歩により富士山を目指しました。その思いと行動の源泉は何だったのでしょうか。憧れの富士山に登り、拝むことによって、自分の行状を懺悔・反省し、本当の自分を苦しさつらさの中から見つけ出したい意思があったのではないでしょうか。

過酷で危険な状況に自分を追い詰め、逃避・回避できない閉塞的な状況の中から、困難に負けない強い自分を見つけ出すことを目的とした「精神修行の山」だったのです。

なぜ、日本人は富士山を目指すのかを考えたときに、先人から引き継いだ「登拝信仰」の遺伝子が潜在的に影響しているとともに、富士山が内在する巨大なパワーが人々の思いや不安を受け止め、苦しみを通して元気を与えてくれているからではないかと考えています。

今後30年以内で富士山が噴火する確率は、70％以上だそうです。1707年の「宝永の大噴火」から300年以上も噴火していません。それ以前は、大体、200年に1回は噴火を繰り返していました。「荒ぶる山」として噴火の予兆・危険性が増大している中で「世界文化遺産」登録をきっかけとして、日本人は、富士山への畏敬の念を強く持つとともに、富士山の本質性や文化歴史性を学術的・総合的に学ぶことが求められています。

富士山で拡大する多様で深刻な問題

現在、富士山を訪れる年間の観光客数は、富士山周辺において3000万人、山梨県と静岡県の五合目には500万人、山頂への登山客は25万人近くといわれ、世界最大の「山岳観光地」といえます。登山者は、7月から8月までの2カ月間に集中しており、1日に1万人以上が登山する日もある、世界に類を見ない「無秩序な山」「混雑する山」になっています。

これは、東京オリンピックが開催された1964年以降に建設された山梨県側の富士スバルラインやその5年後に建設された静岡県側の富士山スカイラインによって、山梨県側や静岡県側の五合目まで車両の乗り入れが可能になったことに起因しており、観光振興を優先し、自然保護への配慮や対策、山としての本質性などをおざなりにした、経済・観光優先主義がもたらした「負の遺産」といえます。

7月上旬から8月下旬にかけて五合目には、国内外から多くの観光客や登山者が訪れて賑わい、まるで新宿や表参道の繁華街の様相を呈しています。とても信仰の山・聖地とは考え難く、神聖な雰囲気は感じられず、一部の観光業者による企業活動を優先した、偏執的な利用形態が進行・拡大している状態といえます。これらの「オーバーユース」が環境悪化の大きな原因となり、富士山には日本中で発生している多種多様な環境問題が凝縮しています。

具体的な問題としては、①大量の登山者が捨てる「ゴミの放置」、②富士山に約40カ所ある山小屋から排出される「し尿の垂れ流し」、③富士山麓における産業廃棄物の「不法投棄の増大」、④地下水利用型企業による工業用水や人口増大による上水道の汲み上げなどによる「地下水の減少」、⑤民有林や一部国有林の管理放棄による「放置森林の増大」、⑥他県から侵入する業者や個人による「貴重植物の盗伐」、⑦地球温暖化の影響による「雪崩の多発化・永久凍土の後退・植生の変化」、⑧高層ビルや鉄塔の建設による無秩序な「景観破壊の拡大」、⑨別荘地の造成や工業団地の進出による「山麓開発の進行」などがあり、それらの問題が複合的・重層的に絡み合い、抜本的な解決策が見つからない、傷ついた「満身創痍の山」になっているといえます。

このような厳しい環境問題・被害の進行の中で、現在までに、多くの環境NPOや山小屋、行政、関係機関などが、その問題解決に努力してきました。その結果、し尿問題については、42カ所ある山小屋の多くに「環境バイオトイレ」が導入されて、し尿の垂れ流しは減少しました。また、登山者によるゴミの放置も、モラルの向上と環境NPOによる地道な清掃活動などによって、以前と比較すると格段にきれいになりました。

しかし、この状況は表面的な現象だといえます。現実的には、富士山の「世界文化遺産」登録への関心の高さと広報力の強化により、観光客と登山客は増加傾向が続いています。

近年は、登山者数が30万人台を超え、さらなるし尿の垂れ流しや、ゴミの放置、登山中の事故の多発化などが増加して大きな問題になっています。

富士山は「世界文化遺産」としてふさわしい山なのか

確かに、富士山は2013年6月22日に「世界文化遺産」に登録されましたが、登録後も多様な環境問題が未解決であり、本当に「世界文化遺産」としてふさわしい山だと評価できるのか、多くの懸念と疑問があります。

実は、1994年にも「世界自然遺産」登録の国民的運動が展開されました。しかし、日本政府は、ユネスコへの世界自然遺産の申請を断念した経緯があります。断念の理由は、ゴミの放置やし尿の垂れ流し問題があったからだと言われていますが、実際は、抜本的・総合的な問題解決への見通しが立たなかったことと、一元管理の体制不備のためだといわれています。

すなわち、ユネスコへの登録のハードルが予想以上に高く、また、多種多様な関係機関との利害・権利調整が解決できず、登録が困難だと判断したためだと考えています。

また、富士山の「世界文化遺産」登録の調査で訪れたユネスコの専門家が、現地の実態を調査した結果、「富士山の普遍的な価値は、その類いまれな『自然美』にあり、文化的な価値の基盤になっていることから、自然遺産からの視点、価値からの評価も必要とされる」と指摘しています。この事実は、富士山は「世界文化遺産」の価値だけではなく「世界自然遺産」の価値も同等に高く、文化と自然が融合した「複合遺産」としての価値を内在しているとの指摘だと考えられます。

しかし、現状は、富士山が「世界文化遺産」に登録されたことによる、観光振興や地域振興などの経済的な波及効果が強調・期待されています。現在でも、富士山はオーバーユースの弊害にさらされ、環境問題・被害が潜在的に増大している中で、美しい日本の誇りを持続的に、どのように次世代に引き継いでいこうとするのか、その総合的・長期的・具体的な考え方や政策、処方箋が見いだされていません。

近視眼的な損得勘定と利害優先の無秩序な経済優先の考え方で富士山登山鉄道計画をまことしやかに議論・検討していることに関連して、行政や観光業者を中心にして事業化が志向されていることに懸念を感じます。

「富士山学」からの提言

それではいったい、富士山が「世界文化遺産」にふさわしい山として、クリア・解決しておかなくてはならない課題にはどのようなものがあり、どのように解決していったらいいのでしょうか。本文中でも書いていることではありますが、富士山の総合学・実践学・現場学である「富士山学」の視点から、問題解決のための方向性・処方箋を改めて提言・考察してみます。

複雑で重層的、責任者不在の管理体制

現在、富士山は、多くの省庁や団体により所有・管理されています。所有形態は、富士山の八合目以上は富士浅間大社の所有地、静岡県側の国有林は林野庁なので農林水産省、山梨県側は恩賜林で山梨県、その他、財産区や民有林があります。

管理形態は、富士山は特別名勝であり文化庁が管理しており文部科学省、多くが環境保全区域に指定されていて環境省、登山道は県道であり県と国土交通省、涵養保安林は林野庁で農林水産省、東富士・北富士演習場は防衛省など、多種多様な役所が重層的に関連しあい、縦割り行政の弊害と相まって、中心・核となる「責任者」が不明確な状況になっています。アメリカなどの国立公園では考えられない、縦割りの「無秩序」な管理体制になっています。

「包括的保存管理計画」の策定

現在、富士山においては、両県にわたる総合的・長期的な「包括的保存管理計画」が策定されています。しかし、その考え方の基本・前提条件となる自然環境調査や環境保全計画、土地利用計画、景観保全計画、具体的な安全対策などが総合的に整備されていません。

さらに、アメリカのヨセミテ国立公園やニュージーランドのトンガリロ国立公園などで整備されている、企業・行政・NPO・市民とのネットワークや役割分担、開発や利用の抑止対策の確立なども不備であり、持続可能な富士山保全の具体的な対策が脆弱といえます。

富士山再生のための「富士山基金」の創設

ところで、富士山を保全するために、静岡県と山梨県において、1年間でどの程度の資金・税金が投入されていると思いますか。現実は、「富士山の日」や「世界文化遺産」登録記念のイベント的な事業への支出・補助金がほとんどです。

静岡県に3本、山梨県に1本ある登山道の安全対策や整備、救急医療・救助体制の強化対策、登山者の安全を守り情報提供を行うビジターセンターの設置、多くのレンジャーの育成と配置、富士山測候所の高所科学施設としての活用、学術的・専門的な自然環境調査の実施など、喫緊の対策には、ほとんど資金が使われていません。

また、富士山を守り、伝えていくための持続可能な「基金」の創設がないことから、多くの対策が必要とされているものの、手つかずの膠着状態に陥っています。事業をしたくてもお金がなく的確・適切な対策を講ずることができないことから、問題解決のための具体的な措置ができていません。

「富士山庁」の創設

現在、富士山を一元的に管理し、すべての富士山情報を把握でき、長期的な視点・政策に基づいての管理体制を立案・執行できる富士山専門の行政機関は存在しません。個々の利害や思惑を優先し縦割りの行政組織になっており、統一的な事業・対策を執行することができません。

そこで、富士山の「世界文化遺産」登録から10年以上たっているわけですから、総合的な調整・事業執行機関といえる「富士山庁」を政府内に創設することによって、山梨県と静岡県、関係する市町村を超越した横断的・絶対的な権限を持つ、効率的・一体的な管理組織と運営を実現するべきです。

環境と観光とが共生した富士山再生へのアプローチ

今後は、自然環境に負荷をかける環境破壊型の観光はありえません。特に「世界文化遺産」に登録された富士山においては、開発・観光振興を優先した姿勢・対応は許されません。

イギリスの湖水地方では、自然と調和・共生した観光振興が進み、年間１２００万人もの観光客が原生の自然環境を求め、宣伝しなくても観光客は増加しています。

多くの観光客を求め、一時的な利益性や経済性を優先すると、世界的な観光の価値観・理念から乖離し、観光客の評価は期待できません。自然や環境に配慮し、景観保全への重視が、新たな富士山再生のポイントです。真の「世界文化遺産」登録地区に変革するためには、富士山周辺の観光業者の意識変革が必要になります。

「世界文化遺産」登録の目的は、「開発の抑止」であり、現在の利害関係者に多くの制約が課せられることに同意した「覚悟の証」なのです。「日本の宝物」から「世界の宝物」としての評価を受ける代償として、国際的な評価基準を踏まえた、大変厳しい「セーフティーネットと規制」により、富士山周辺が覆われることを意味しているのです。

富士山を守り、伝えていく持続可能な具体的行動が必要

現在まで「世界文化遺産」に登録されることを優先した、行政主導型の「器・形」を整える運動が先行してきました。しかし、大切なことは、50年先、100年先の富士山をどのように守り、伝えていくかを考えることです。

そのためには、NPO・市民・行政・企業・専門家など、さまざまな分野から多くの関係者が集まり、今後の富士山保全のあり方・未来像について、徹底的に議論・検討することが求められており、まずは、地域住民や利害者の合意形成と理解が先決になります。

今後、行政主導型から、市民主導型の環境保全運動への切り替えが必要とされています。大きな懸念として、インバウンドがさらに拡大して多くの外国人が富士山に殺到することにより、さらなる「オーバーユース」の問題が発生して、恒久的な環境保全対策の実施や管理の一元化を目

的とした「富士山庁」の創設、両県の観光業者や地域住民の構成による「広域的環境保全組織」の設立など、今後とも、多面的に対応していかなければならない課題・処理事項が山積みといえます。

富士山は、「世界文化遺産」への登録がゴールではなくてスタートです。将来を見据えての長期的な保全活動の展開と、実効性の高い具体的な対策の実施が必要とされています。

このままでいくと、ゴミやし尿・産業廃棄物の投棄などの現場での厳しい環境問題・被害が全世界に動画配信されてしまい、「恥の遺産」といわれる「危機遺産」への変更登録も危惧されます。富士山登山鉄道計画による自然環境への激しい破壊や改変の問題が世界中に告知されたら、山梨県と政府は世界に向けて何と説明するつもりなのでしょうか。まさに、「世界文化遺産」登録を通して、日本人の環境に対する「共生の知恵」が試されています。環境と観光が共生した、新たな富士山再生の方向性を模索しながら、秀麗なる富士山を次世代に確実・永遠に伝えていけるように、市民・県民・国民としての具体的な役割と行動を、しっかりと自覚・実行していくことが、富士山を救うために求められています。

富士山の魅力を傷つけぬように

富士スバルライン上に富士山登山鉄道を敷設して、次世代型路面電車を走らせるとの驚くべき計画が、実現を目指して山梨県により進められています。これは富士山を傷つける身勝手な行為・

暴挙であり、地球温暖化の影響により、多発するスラッシュ雪崩に観光客をさらす、危険に満ちた暴挙だともいえます。

登山者を守るための登山道の整備や、来訪者の管理、噴火災害対策、緊急医療体制強化などが、まずは今の富士山に関わる課題として望まれます。富士山の魅力は五合目以上のはげ山だけではなく、その裾野に広がる樹林帯や多様な生物相、湧水地など、未開発の魅力的な場所がたくさんあるので、今後の新たな富士山観光の戦略として、一点集中型から、分散型観光への移行・工夫が求められています。

これ以上、富士山を傷つける行為が身勝手な政治家や行政職員の不見識から起こると、それらへの富士山の怒りの意思として、「噴火」が起こるのではないかと心配しています。先人たちの「鎮爆」への謙虚な姿勢と、富士山への「畏敬の念」を忘れてはなりません。

富士山を傷つける登山鉄道計画は「中止」にして、世界に誇れる先進的な環境保全策を策定して、開発の恐怖にさらされ泣いている富士山を、安心させるべきです。

今、日本人の良識と判断力が国際的に問われています。その判断材料として、村串仁三郎さんと大山昌克さんとともに、この「富士山を壊すのは誰?」を贈ります。

渡辺豊博 わたなべ・とよひろ

1950年秋田県生まれ。静岡県三島市在住。東京農工大学を卒業後、静岡県庁に入庁し、農業基盤整備事業などを担当。また、富士山の世界遺産登録運動の先導役を果たす。退職後、都留文科大学教授に就任し「富士山学」などを開講。静岡県庁在職中から、「グラウンドワーク三島」など数々のNPO法人の事務局長を務める。ほかに「NPO法人富士山測候所を活用する会」の顧問。グラウンドワーク三島では地元の汚れた源兵衛川の自然回復運動に取り組み清流として甦らせ、観光客増に導いた。その後も、アメリカ、ニュージーランド、イギリスなど世界の先進的な観光地を視察し、情報を発信し続ける。著書に『清流の街がよみがえった』(中央法規出版)、『富士山学への招待』(春風社)、『富士山の光と影』(清流出版)など。自他ともに認める「世界一富士山を愛する男」。

村串仁三郎 むらくし・にさぶろう

1935年東京都生まれ。法政大学名誉教授。専門は労働経済論、鉱山労働史、現代レジャー論、国立公園論。主な著書に『賃労働原論──『資本論』第一巻における賃労働理論』(日本評論社)、『日本の鉱夫──友子制度の歴史』(世界書院)、『レジャーと現代社会』(編著、法政大学出版局)、『自然保護と戦後日本の国立公園』、『高度成長期日本の国立公園』、『現代日本の国立公園制度の研究──国立公園は自然保護の砦かレジャーランド・リゾート地かを問う』(上記、3冊とも時潮社)など。現在、「富士山登山鉄道建設に反対する市民の会」代表世話人を務める。

富士山を壊すのは誰?

「富士山登山鉄道構想」が観光立国日本をダメにする

2024年7月13日　初版第一刷発行

編 著 者　渡辺豊博、村串仁三郎

発 行 者　斎藤信吾

発 行 所　株式会社 泉町書房
〒202-0011 東京都西東京市泉町 5-16-10-105
電話・FAX　042-448-1377
http://izumimachibooks.com
contact@izumimachibooks.com

組版・装丁　小林義郎

印刷・製本　モリモト印刷

ISBN 978-4-910457-06-2